13 À TABLE !

Françoise BOURDIN • Maxime CHATTAM •
Alexandra LAPIERRE • Agnès LEDIG •
Gilles LEGARDINIER •
Pierre LEMAITRE • Marc LEVY •
Guillaume MUSSO • Jean-Marie PÉRIER •
Tatiana de ROSNAY •
Éric-Emmanuel SCHMITT •
Franck THILLIEZ • Bernard WERBER

13 À TABLE !

NOUVELLES

MIXTE
Papier issu de
sources responsables
FSC® C003309

Pocket, une marque d'Univers Poche,
est un éditeur qui s'engage pour la préservation
de son environnement et qui utilise du papier fabriqué
à partir de bois provenant de forêts gérées
de manière responsable.

© 2014, Pocket, un département d'Univers Poche.
ISBN : 978-2-266-25405-2

Chers lecteurs,

Pendant que vous picorerez avec plaisir ces nouvelles propices à évasions variées, tous ceux que nous accueillerons se verront offrir grâce à vous de quoi se nourrir et rêver à un meilleur avenir...

Merci de tout cœur,

Les Restos du Cœur

Sommaire

Françoise BOURDIN

Olympe et Tatan

Comme chaque année, la famille se retrouvait au grand complet pour le réveillon de Noël chez Olympe, à Paris. En tant qu'aïeule, elle ne se déplaçait plus, on venait à elle. Sa fille, Pauline, avec son mari et leurs trois grands enfants, ainsi que son fils, Louis, avec sa nouvelle femme et leur bébé.

Olympe jugeait ridicule la fraîche paternité de Louis qui avait fêté ses cinquante-cinq ans à l'automne. Et comme il avait eu deux filles d'un précédent mariage, aujourd'hui adultes, Olympe estimait de son devoir de les inviter aussi. Tout ce petit monde bravait les encombrements, les uns venant du fin fond de la Normandie, et les autres, plus chanceux, de Versailles ou de Pontoise. Seule Tatan, la sœur d'Olympe, se contentait de descendre un étage puisqu'elles habitaient le même immeuble.

Tatan ne s'était jamais mariée, elle vivait avec son teckel à poils durs, têtu et glouton, qui répondait – ou pas, d'ailleurs – au nom de Loustic. Conséquence de son statut de vieille fille, elle passait le plus clair de son temps chez sa sœur qui la réclamait pour un oui pour un non.

Ce 24 décembre, dès le matin, Tatan s'était

rivée aux fourneaux d'Olympe, chargée comme chaque année de cuisiner le menu du Réveillon. Dans un ordre immuable depuis des lustres, la bisque de homard précédait la dinde aux marrons et la bûche glacée au café. Personne n'aimait vraiment ces mets, la dinde étant souvent trop sèche et la bûche trop sucrée, mais c'était la tradition, pas question d'en changer. Sans conviction, on félicitait Tatan qui n'avait donc rien d'un cordon-bleu.

Apporter des cadeaux était l'autre obligation de cette soirée. Les onze adultes offraient chacun un présent aux dix autres, plus un au bébé qui, lui, ne rendrait pas la politesse. Sous le sapin furent donc déposés ce soir-là cent vingt et un paquets. Après ouverture, ils allaient représenter un invraisemblable tas de papiers déchirés, rubans éparpillés, morceaux de scotch collant aux semelles. Selon la coutume, le salon prendrait alors l'aspect d'une foire à tout où les bibelots les plus affreux côtoieraient les gadgets les plus inutiles.

Le défi annuel semblait être à la fois de dépenser le moins d'argent possible et, sous couvert d'humour, de choisir n'importe quoi. Sans le soin apporté aux étiquettes désignant l'heureux bénéficiaire, on aurait pu croire que tout avait été mélangé par un lutin facétieux. Pauline, qui n'aimait que le noir, recevait toujours un vêtement bariolé. Louis, qui souhaitait désespérément faire jeune, obtenait souvent une sinistre cravate. À Olympe, qui possédait une collection de petits bronzes rares, revenaient de grotesques copies en résine, voire en plastique. Et ainsi de suite pour chaque membre de la famille. La seule épargnée demeurait Tatan, trop naïve pour qu'on lui fasse une vacherie, et à qui les sempiternels torchons ne déplaisaient pas, même s'ils essuyaient mal. Nouveau venu, le bébé ne fut pas épargné non plus, avec des pyjamas de taille trois mois alors qu'il en avait déjà cinq.

Pris séparément, les membres de la famille étaient des gens normaux, mais l'obligation de se retrouver tous ensemble, heureusement limitée à cet unique dîner annuel, les rendait détestables. Car afin de rendre la corvée moins ingrate, chacun profitait de l'occasion pour régler des comptes personnels remontant à l'enfance.

— Que c'est joli…, déclara Olympe d'une voix sinistre mais sonore.

Elle tenait entre le pouce et l'index le dernier de ses cadeaux, une abominable grenouille en caoutchouc dur.

— Pour jouer dans le bain ? hasarda-t-elle avec un sourire cynique.

Nadia, la jeune épouse de Louis, se renfrogna, expliquant de mauvaise grâce qu'il s'agissait d'un décapsuleur « très pratique », et aussitôt Pauline hurla de rire. Bonne perdante, elle s'estima battue à plates coutures par sa belle-sœur dans la course au hideux.

Le salon étant dévasté, Tatan décréta qu'il était temps de passer à table.

— On pourrait ranger un peu…, proposa mollement Louis.

Mais comme personne n'esquissait le moindre geste, il fut le premier à suivre Olympe vers la salle à manger où flottait un fumet de poisson un peu trop prononcé.

— Quel âge avait donc ce homard ? marmonna le mari de Pauline.

FRANÇOISE BOURDIN

Ayant l'ouïe fine malgré son âge, Olympe répliqua :

— L'âge d'être mis en coulis un soir de Réveillon. Bon appétit à tous !

Ils attaquèrent la bisque en silence, occupés à fourbir leurs armes. Tatan lapait sa cuillère bruyamment, comme si elle se régalait, et Olympe choisit ce moment pour déclarer :

— J'attends toujours le 24 décembre avec impatience. Voir ma famille réunie est un plaisir que vous ne daignez m'offrir à aucun autre moment de l'année, soit dit en passant. Hélas, je ne rajeunis pas, et ce sera peut-être mon dernier Noël…

Au lieu des protestations escomptées, elle n'eut droit qu'à quelques hochements de tête qui la vexèrent.

— En conséquence, conclut-elle d'un ton aigre, j'espère que nous allons passer une bonne soirée et que, pour une fois, vous ne ressortirez pas vos vieilles histoires.

— Ce n'est jamais moi qui commence, fit remarquer Pauline.

— Moi non plus ! protesta Louis, se sentant visé.

— Toi, forcément… Quand on n'a pas de raison de se plaindre, on la boucle.

— Tu vas voir, elle va reparler de la voiture, prédit Louis à Nadia.

Pauline leva les yeux au ciel tandis que son mari répliquait à sa place :

— Certaines blessures de jeunesse ne s'oublient pas.

— Ça fait plus de trente-cinq ans, il y a prescription, non ?

Se tournant vers Nadia, Louis se lança dans une explication succincte.

— Maman m'a offert une petite Fiat quand j'ai eu mon bac. Je venais de passer le permis, or Pauline ne l'avait pas.

— À quoi bon ? On ne me promettait même pas un scooter ! Louis était le chouchou depuis sa naissance, le petit dernier, la huitième merveille du monde, le « mâle », à lui les joies de la route !

Avec Nadia, ils bénéficiaient d'un nouvel auditoire. La malheureuse jeune femme, qui ne connaissait pas encore toutes les anciennes querelles familiales, se trouvait ainsi prise à témoin et sommée d'avoir une opinion.

— Tu vas vouloir le défendre, déplora Pauline, mais il a dû oublier de te dire à quel point il était odieux quand il avait vingt ans. L'âge de son bac, car il n'était pas très en avance...

— La paille et la poutre ! Tu étais nulle en maths, à ne pas savoir additionner sept et deux. Mais papa avait toutes les indulgences pour sa fifille, il s'extasiait devant tes dissertations sans t'expliquer que la filière littéraire ne te mènerait nulle part.

— S'il vous plaît ! tonna Olympe en frappant du plat de la main sur la table.

Une fois le silence rétabli, elle fit remarquer aux filles de Louis qu'elles pourraient donner un coup de main à Tatan pour changer les assiettes. En traînant les pieds, elles suivirent leur grand-tante à la cuisine.

— Pourquoi t'en prends-tu aux miennes ? s'étonna Louis.

D'un index vengeur, il désigna les deux fils et la fille de Pauline.

— Il y aura un prochain tour, ne t'inquiète pas, ricana Olympe. Je ne sais pas comment vous avez élevé vos enfants, Pauline et toi, mais il faut toujours tout leur dire.

Venant d'elle, qui n'aurait jamais eu l'idée d'aider Tatan ou n'importe qui d'autre, la réflexion ne manquait pas de sel.

— J'espère que vous vous y prendrez différemment avec le bébé, ajouta-t-elle à l'adresse de Nadia.

Tatan revenait avec la dinde qu'elle posa au centre de la table. Olympe jeta un coup d'œil à la volaille, puis son regard se tourna vers le couffin, installé sur une chaise à l'écart. Durant quelques instants, elle contempla son dernier petit-fils.

— Pourquoi le laissez-vous là ? Nous faisons du bruit, il y en a qui vont fumer, ce n'est pas la place d'un bébé. De mon temps, les petits dormaient dans leur chambre. Ça doit vous paraître démodé, pourtant c'était plus sain ! Aujourd'hui, les enfants sont rois, on leur passe tout, on leur demande leur avis... Quel choc pour eux quand ils seront confrontés à un monde moins mou que celui de leurs parents en extase !

Elle éclata de rire, ravie de sa tirade.

— Tu n'étais pas très sévère, osa rappeler Tatan d'une voix fluette.

— Elle était surtout très absente, lâcha Pauline.

Olympe s'était en effet consacrée à mille autres activités que celle de mère. Ses enfants avaient été pour elle une sorte de distraction supplémentaire qui ne l'empêchait nullement de courir les cocktails et vernissages, courts de tennis et tournois de bridge, instituts de beauté ou même croisières au long cours. Lorsqu'elle se souvenait enfin qu'elle avait des enfants, elle affichait une préférence marquée pour le garçon, laissant à son mari le soin de chouchouter leur fille.

— Voilà, je l'avais bien dit ! s'exclama-t-elle.

Loustic, en bon teckel ingérable, venait de se dresser près du couffin pour renifler l'odeur du bébé, menaçant de faire basculer la chaise. Nadia se leva précipitamment, après avoir jeté un regard courroucé à Louis qui ne réagissait pas.

— Enlève tes pattes de là, sale bête…

— Ah, non ! protesta Tatan. Il est peut-être curieux, mais surtout très gentil.

— En tout cas, il a du flair, admit Nadia qui avait pris le bébé dans ses bras. Je dois le changer.

Elle quitta la salle à manger sous le regard soupçonneux d'Olympe.

— Elle ne fait pas ça ici, Dieu merci.

— Maman, arrête, grogna Louis.

— Eh bien, quoi ? Il faut s'attendre à tout avec cette génération.

Une façon de rappeler à son fils sa grande différence d'âge avec Nadia.

— Elle n'aime pas les chiens ? demanda Tatan.

— Elle n'en a jamais eu, elle ne sait pas ce que c'est.

— Dommage, elle se prive de grandes joies.

— Les joies de la maternité lui suffisent !

Comme toujours, les jeunes gens s'étaient mis à parler entre eux. Les deux grandes filles de Louis, celle de Pauline ainsi que ses deux fils, n'étaient pas mécontents de se retrouver et s'apercevaient qu'ils auraient pu se voir dans l'année mais ne l'avaient pas fait. À l'instar de leurs parents respectifs, les cousins ne cultivaient pas l'esprit de famille. « Il faut absolument qu'on fasse des trucs ensemble ! » se juraient-ils chaque année, réitérant leur promesse au Noël suivant sans jamais la tenir, réfugiés derrière l'excuse d'un éloignement géographique.

Les cris du bébé précédèrent le retour de Nadia qui ne fit que traverser la salle à manger, annonçant qu'elle allait faire chauffer un biberon.

— Votre maison n'est toujours pas vendue ? demanda Louis au mari de Pauline.

— Rien ne se vend en ce moment...

— Il ne faut pas se montrer trop gourmand.

— Alors, quoi ? Perdre de l'argent ? ragea Pauline.

— C'est la crise, ma vieille ! Et puis vous avez eu une drôle d'idée d'aller acheter dans cette banlieue excentrée. Les gens en ont marre d'être tassés comme des Japonais dans le R.E.R.

— *Excentrée ?* Tu peux parler, toi qui habites à perpète-les-foins !

— Rien à voir. Je suis en pleine campagne, à l'air pur, un environnement idéal pour la santé d'un enfant.

— Ridicule, trancha Olympe. Tu as élevé tes deux filles à Paris, et regarde comme elles sont en forme.

— À l'époque, il n'y avait pas autant de pollution.

— Elle a bon dos, la pollution. Je me porte très bien et je respire cet air depuis ma naissance.

Olympe bénéficiait en effet d'une santé de fer. Mais elle avait mené une existence oisive, sans stress ni fatigue, grâce à un *beau* mariage, ainsi qu'on qualifiait en son temps les unions lucratives. Elle était propriétaire de ce trop grand appartement où elle vivait seule depuis son veuvage, et disposait de rentes qui lui permettaient quelques fantaisies. Pourtant, après le décès de son époux et malgré un héritage conséquent, elle était devenue économe et n'aidait plus ni ses enfants ni ses petits-enfants. Avec l'âge, la peur de manquer était son obsession. Les papiers peints avaient beau vieillir et les moquettes se râper, elle n'envisageait pas de les changer. Avoir recours à un plombier ou un électricien lui donnait des palpitations, et quand elle s'offrait un voyage elle ne daignait pas inviter Tatan. « Tu ne peux pas laisser Loustic ! » affirmait-elle avec désinvolture, tout en se réjouissant à l'idée que sa sœur viendrait arroser les plantes vertes en son absence.

— De toute façon, si j'ai acheté à « perpète-les-foins », comme tu le dis avec mépris, ma pauvre Pauline, c'est que je n'avais pas un gros budget, moi ! Papa t'avait fait une donation alors que je n'ai rien eu.

— Tu seras dédommagé dans la succession, répliqua Pauline.

— Vous n'attendez pas ma mort, j'espère ? tonna Olympe. Je trouve votre conversation d'un incroyable mauvais goût, d'ailleurs, on ne parle pas d'argent à table. Reprenez plutôt de la dinde.

Elle désignait les restes de volaille autour desquels la sauce s'était figée. Personne ne fit mine de se resservir, et finalement Tatan se leva pour remporter le plat. Avant d'être rappelés à l'ordre, les fils de Pauline se mirent à débarrasser avec une maladresse délibérée.

— Attention à ma vaisselle, petites brutes ! les réprimanda Olympe.

Nadia en profita pour reprendre sa place, le bébé dans les bras. Il commença à téter son biberon avec d'affreux bruits de succion.

— J'aime bien ta jupe, dit Pauline à Nadia.

— Un peu courte pour toi, ma pauvre ! s'exclama Louis avant d'éclater de rire.

Le frère et la sœur échangèrent un regard assassin.

— Tu as toujours critiqué mes vêtements, même quand j'avais quinze ans. Mais quand je vois aujourd'hui de quelle manière tu t'habilles... Si c'est pour faire jeune, tu as seulement l'air d'un vieux beau.

— Elle a dit « beau », elle l'a dit ! ironisa Louis.

— C'est une expression toute faite, qui n'a vraiment rien de flatteur.

— Arrêtez de vous disputer, protesta Olympe. J'ai l'impression de revenir quarante ans en arrière.

— Et tu n'aimerais pas ? Allez, maman, avoue...

— Avouer quoi ? Que c'est triste de vieillir ? Je vous remercie de m'y faire penser, surtout la veille de Noël.

À cet instant, Loustic traversa la salle à manger au grand galop, traînant un os aussi long que sa queue.

— Qui lui a donné ça ? piailla Tatan en bondissant de sa chaise.

— Les chiens n'aiment pas les os ? s'étonna Nadia. J'ai cru bien faire.

— Vous êtes folle, ma parole !

Scandalisée par l'apostrophe, Nadia avait involontairement redressé le biberon et le bébé se mit à pleurer. Dès qu'il se tut, en retrouvant sa tétine, on put entendre une série de grognements et de jappements en provenance du salon.

— Tu vas te faire mordre ! cria Olympe.

— Je n'aurais jamais de chien, déclara Louis.

Ses filles protestèrent aussitôt qu'il les en avait privées dans leur enfance.

— Moi, j'en ai un, annonça la fille de Pauline. Mais je l'ai laissé chez moi avec mon petit ami.

— Tu as un fiancé ? s'émerveilla Olympe. Et tu l'as abandonné un soir de Réveillon ?

— Il fait la fête avec des copains, je les retrouverai tout à l'heure.

— Des copains qui n'ont pas de famille ? Il faut manquer de cœur pour être loin des siens un soir comme celui-ci. D'ailleurs, tu aurais pu inviter ton fiancé, j'ai les idées larges.

— Je ne suis pas fiancée, grand-mère ! C'est juste mon mec en ce moment.

— Seigneur ! Tu t'exprimes de façon révoltante, ma petite-fille.

— Quelle race, ton chien ? voulut savoir Tatan.

Elle tenait victorieusement l'os de dinde mais avait le dos de la main lacéré.

— Un caniche.

— Si tu ne termines pas tes études de médecine, tu pourras toujours te lancer dans un numéro de cirque, marmonna Louis.

Étudiant, il avait raté le concours d'entrée en médecine et s'était rabattu à regret sur dentaire. Cette ancienne frustration se trouvait ravivée par la réussite de sa nièce qui accomplissait à présent sa dernière année.

Olympe avait commencé à découper la bûche, tranchant de larges parts dont personne n'avait envie.

— Aucun de mes petits-enfants ne va donc se décider à m'annoncer un mariage ?

— En ce qui le concerne, ce ne sera pas pour tout de suite, plaisanta Nadia qui berçait son bébé.

— Je ne parlais pas de lui, que je ne verrai sûrement pas grandir, mais des cinq autres, répliqua froidement Olympe.

Avec un bel ensemble, les jeunes gens annoncèrent

qu'ils n'étaient pas pressés et comptaient profiter de la vie d'abord.

— Quelle époque…, soupira Olympe.

— Et puis, si c'est pour divorcer, dit l'une des filles de Louis en fixant son père, autant ne pas se marier !

Avec un hoquet, le bébé régurgita du lait.

— Franchement, c'est dégoûtant, s'emporta Olympe. Vous ne voulez pas le mettre ailleurs ?

— Pour qu'il s'étouffe ?

Le mari de Pauline repoussa son assiette et alluma un cigarillo. Aussitôt, les jeunes sortirent leurs paquets de cigarettes. Vaincue, Nadia quitta la salle à manger en emportant le couffin.

— Vous ne faites rien pour la mettre à l'aise, maugréa Louis.

Il se leva pour aller entrouvrir une fenêtre mais Olympe l'en empêcha.

— Bon sang, je ne chauffe pas la rue, ferme ça immédiatement ! La fumée ne me dérange pas, je te rappelle que ton père appréciait la pipe et le cigare. À ce moment-là, personne ne faisait d'histoires. Les hommes politiques fumaient, les journalistes à la télévision, les artistes, les étudiants, tout le monde !

— Je l'ai installé dans votre chambre, annonça Nadia, et j'ai fermé la porte à cause du chien… et du tabac.

— Dans ma chambre ? répéta Olympe, incrédule.

Elle faillit ajouter quelque chose mais se ravisa et réclama le champagne qui aurait dû accompagner le dessert. Prise en faute, Tatan fila à la cuisine d'où elle rapporta deux bouteilles qu'elle posa devant Louis. Le premier bouchon partit comme un boulet de canon et fit voler en éclats l'une des ampoules du lustre.

— Tu les as secouées ou quoi ? ronchonna Louis.

Dans un grésillement inquiétant, le lustre s'éteignit.

— Tu ne pouvais pas faire attention ? Tu as provoqué un court-circuit !

— On appellera l'électricien, glissa Tatan. Mais il a déjà dit qu'il faudrait remplacer tous ces vieux fils par...

— Hors de question !

Pauline eut la bonne idée d'aller actionner l'interrupteur pour couper le courant. En se rasseyant, elle constata que la lumière des bougies de Noël était suffisante, et surtout plus douce.

— Encore un peu de bûche ? proposa Tatan.

— Je n'en peux plus, j'ai trop mangé, affirma Louis.

— Tu devrais te mettre au régime, insinua Pauline, tu prends de la bedaine. Comme tous les hommes à partir d'un certain âge.

— Veux-tu qu'on parle de toi ? répondit-il sèchement.

— Vous n'allez pas recommencer ? se fâcha Olympe. Ne pourrons-nous jamais avoir un réveillon paisible ?

— Tu t'embêterais, grand-mère ! lança la fille de Pauline.

Elle but sa coupe d'un trait puis annonça qu'elle allait retrouver ses copains et son homme. Ce fut un véritable signal de départ pour les jeunes gens qui disparurent ensemble.

— Ils vont fumer un pétard sous la porte cochère, prédit le mari de Pauline sans s'émouvoir.

La table était dévastée, la cire des bougies coulait le long des chandeliers et la bûche s'était transformée en soupe dans les assiettes.

— Nous avons de la route à faire, finit par murmurer Nadia.

— Tu conduis ? suggéra Louis.

Ayant obtenu son accord, il en profita pour resservir une tournée de champagne pendant qu'elle allait chercher le bébé.

— Le dîner était délicieux, Tatan ! claironna Pauline.

Elle but quelques gorgées debout, pressée de s'en aller elle aussi. Comme chaque année, Olympe ne fit rien pour les retenir, et sur les vaines promesses de se revoir « bientôt », elle referma la porte palière derrière eux, écourtant les adieux.

Plantée entre la salle à manger et le salon, Tatan était en train de se lamenter sur le désordre.

— En plus, lui signala Olympe, Loustic a pissé dans l'entrée.

— Je n'ai pas eu le temps de le sortir, je suis restée dans la cuisine toute la journée !

Elle fila chercher une serpillière, nettoya les dégâts. En revenant, elle vit qu'Olympe s'était rassise à sa place à table.

— Il reste du champagne, ce serait dommage de le gâcher. On finit ? Tu rangeras demain.

Faisant tourner sa coupe devant la flamme d'une bougie pour regarder la course les bulles, elle parut songeuse un instant.

— Eh bien, voilà une bonne chose de faite… Reste à remiser toutes ces horreurs de cadeaux dans un carton pour la cave.

— Le décapsuleur aussi ? Ça peut servir.

— *Surtout* le décapsuleur. Enfin, je pense qu'ils

étaient contents ! Si je ne faisais pas l'effort de les réunir, ils se retrouveraient chacun chez eux comme des idiots à Noël. Et tu sais quoi ? Je crois qu'ils aiment les traditions. Alors, tant que je serai là...

Tatan hocha la tête d'un air entendu puisqu'elle donnait toujours raison à sa sœur.

En bas, devant l'immeuble, le reste de la famille échangeait des embrassades et des impressions.

— La dinde était quasiment immangeable, déclara Louis.

— Mais pourtant moins mauvaise que la bisque, renchérit le mari de Pauline.

— Maman ne s'arrange pas, et Tatan non plus, soupira Pauline. J'en ai par-dessus la tête de ces réveillons sinistres !

— On pourrait peut-être s'en dispenser l'année prochaine ? suggéra Nadia.

Les autres, y compris Louis, la contemplèrent comme si elle venait de proférer une énorme bêtise.

— Je ne crois pas, non..., dirent-ils presque en chœur.

Il y eut une seconde de flottement, puis Pauline tapota l'épaule de Louis.

— Maman ne nous le pardonnerait pas, hein ?

— Et Tatan aurait de la peine.

— Alors, à l'année prochaine, vieux frère !

Se tournant le dos, ils s'éloignèrent vers leurs voitures respectives sans jeter un seul regard en arrière.

Maxime CHATTAM

Maligne

Sam Kurger referma son carnet Moleskine et fit claquer l'élastique sur la couverture en cuir souple. Il n'avait jamais grand-chose à noter concernant Monica. Il ne comprenait pas pourquoi elle s'entêtait à venir le consulter. Ou plutôt si, il s'en doutait bien mais faisait preuve d'une lâcheté à la limite de la faute professionnelle grave. En tant que psychothérapeute, il était de son devoir de lui faire comprendre qu'elle n'avait plus rien à faire ici, qu'elle n'achetait qu'une heure d'attention à ses problèmes cosmétiques, d'intendance, il n'y avait plus rien dans ce qu'elle venait exposer qui nécessitait un psy. Monica avait besoin d'une bonne copine pour l'écouter et ne pas l'interrompre, voilà tout, et Sam était celle-là, payer pour approuver et la boucler.

Kurger secoua la tête. C'était une consultation reposante pour lui, du fric facile, c'était moche de sa part. Et en même temps, personne n'était dupe, pas même Monica...

Il consulta son agenda et se souvint que c'était l'heure de son nouveau patient. Patrick Hores. L'homme avait été un peu étrange au téléphone, il avait lourdement insisté pour avoir un rendez-vous rapidement. « C'est une question de survie », avait-il dit. Kurger n'avait pas pour habitude de traiter ce genre d'urgence psychiatrique, si c'en était une, mais devant l'insistance catastrophée, il lui avait offert la place libérée deux heures plus tôt par une annulation. Après tout, si cela ne relevait pas de ses compétences, il pourrait renvoyer M. Hores vers un de ses confrères en psychiatrie. Mais par expérience, il savait aussi que la plupart de ses nouveaux patients se voyaient bien plus « malades » qu'ils ne l'étaient en vérité. L'homme imagine toujours le pire, *a fortiori* lorsque cela le concerne.

Kurger se leva et sortit de son bureau pour aller chercher Patrick Hores dans sa petite salle d'attente, au bout du couloir. En ouvrant la porte, Kurger eut un mouvement de recul qu'il s'efforça de maîtriser pour ne rien laisser paraître de sa surprise.

Patrick Hores se tenait debout, face à la porte, le front en sueur. Il occupait la moitié de la pièce. Ou plutôt il *envahissait* la moitié de la salle d'attente. Son corps était si vaste, son tour de taille si imposant que Kurger demeura un instant stupéfait à l'idée que cet homme-là, si… *gros*, ait pu entrer par les portes. Comment les franchissait-il ?

— Monsieur Hores ?

— Merci docteur, merci de me recevoir si vite…

— Je ne suis techniquement pas docteur.

— C'est égal ! Je suis venu vous voir pour me dire si je suis fou ou non, et, à en croire une bonne amie à moi, vous êtes très compétent.

— Eh bien je suis ravi de l'entendre. Venez, nous allons nous installer dans mon bureau, nous y serons mieux.

Chemin faisant, Kurger se demanda où il allait bien pouvoir l'asseoir avant d'opter pour la méridienne. Jamais il ne tiendrait dans le fauteuil voltaire. Le psychothérapeute se glissa dans son bureau tamisé, le soleil entrait de biais, la lumière hachée par les stores vénitiens en bois qui recouvraient chaque fenêtre, et il observa Hores s'extraire du couloir pour s'enfoncer dans la pièce. C'était exactement ça. Une extraction. Il poussa d'une jambe pour faire passer une partie de sa masse et de l'autre tirait pour que le restant suive, son énorme ventre s'écrasant au passage, comme un paquet de sable dans l'étranglement du sablier. Hores avait sa technique, ses habitudes.

— Installez-vous ici, fit Kurger en prenant lui-même place sur son siège en velours, et expliquez-moi ce qui vous fait penser que vous pourriez être fou.

— Il y a deux solutions à mon problème monsieur Kurger. Cela vous convient si je vous appelle monsieur Kurger ?

D'un geste de la main, Sam Kurger l'invita à poursuivre. Hores s'affaissa sur la méridienne qui couina de tous ses ressorts, un grincement inhabituel, presque un râle.

— Soit je suis fou, soit...

Le regard de Hores retomba, embarrassé, et se perdit dans l'épaisseur de la moquette.

— Soit ? insista Kurger.

— Soit je suis possédé.

Cette fois le psychothérapeute haussa les sourcils et posa son coude sur le rebord du siège, venant appuyer le flanc de son visage entre son pouce et son index.

— Pourriez-vous me préciser ce que vous entendez par « possédé » ?

— Je... je crois que je suis hanté par ma nourriture, docteur.

Kurger tiqua. Il ne releva pas le « docteur », il s'en fichait, l'erreur était usuelle, mais le cas de possession par ses propres aliments, pour le coup, c'était du jamais vu !

— Qu'est-ce que vous entendez par « hanté » ? précisa Kurger qui voulait comprendre ce dont ils parlaient exactement.

— Et bien... hanté comme une vieille maison par les fantômes de son passé. Hanté comme dans un mauvais film d'horreur.

— Vous voulez dire : de manière *surnaturelle* ?

Kurger avait sur-articulé le mot pour bien insister sur ce qu'il impliquait.

Hores plissa les lèvres, presque honteux, avant d'acquiescer timidement. Un filet brillant exsudait de son front.

Kurger sombra un peu plus dans son siège, la bouche écrasée derrière son poing. Il hésitait à approfondir ou à expédier de suite ce phénomène vers des services plus adaptés et médicalisés. *Je lui dois une heure, c'est le pacte qui nous lie depuis qu'il est entré. Mon rôle est de l'écouter et de l'aider à cerner le problème.*

— Qu'est-ce qui vous fait penser à une... possession ?

Hores ne cherchait pas à dissimuler son malaise. Le sujet l'indisposait lui-même, ce qui n'était habituellement pas le cas des patients bons pour la psychiatrie. Il prit son inspiration pour se donner du courage et entra dans le vif :

— Je n'ai jamais été un homme très pieux vous savez, les bondieuseries, c'est pas mon truc. Et j'ai jamais vraiment apprécié ni même cru toutes les choses paranormales, pas du tout en fait. Mais là...

— Existe-t-il des faits que vous pourriez me rapporter qui expliquent ce changement de croyance ?

Hores fixa le psychothérapeute et hocha la tête.

— Sinon je n'y croirais pas moi-même.

D'un geste de la main, Kurger l'invita à poursuivre.

— Il y a un an et demi je pesais quatre-vingt-dix-sept kilos de moins.

Cette fois la surprise fit lever un sourcil du psy et il ne put le dissimuler. Hores s'empressa alors de fouiller l'intérieur de son immense veste et il sortit son portefeuille pour en extraire une photo.

— Tenez, regardez, c'est moi là, il y a tout juste dix-huit mois.

Kurger se pencha pour saisir le cliché. Il reconnaissait bien Hores, mais la métamorphose était spectaculaire. L'homme sur la méridienne avait endossé un costume beaucoup trop grand, un habit de graisse stupéfiant qui l'avait boursouflé quand on le comparait à celui qu'il avait été quelques mois auparavant. Si le poids l'avait rajeuni en lissant les rides de son visage, en revanche il avait dévoré tout le charme qui se dégageait du bon gaillard souriant et à l'œil vif de la photo.

Au moins cet aspect-là de l'histoire était vrai, Patrick Hores avait grossi en peu de temps. Et grossi était peu dire. Il avait enflé. Il s'était dilaté à l'extrême. Le big-bang à l'échelle humaine.

Kurger ne voulait pas prendre de raccourcis faciles mais il ne pouvait s'empêcher de penser qu'un cas pareil allait certainement s'expliquer par un traumatisme, ou la résurgence, même masquée, d'un bouleversement enfantin. Il ne croyait pas au principe des fantômes transgénérationnels en vogue dans son milieu ces dernières années, et s'en remettait aux bons vieux schémas de base, bien plus fiables et éprouvés.

— Comment est-ce arrivé ? Vous souvenez-vous du point de départ ? De la prise des premiers kilos ? Dans quel état d'esprit étiez-vous ?

— Avant d'en revenir à ça, je voudrais vous raconter ce qui a suivi, je crois que vous prendrez plus au sérieux ma théorie ensuite.

— Comme vous le souhaitez, Patrick. Je peux vous appeler Patrick n'est-ce pas ?

Hores ne releva pas et enchaîna :

— Quand j'ai eu pris vingt kilos, les deux premiers mois, j'ai commencé à avoir peur. Je mangeais tout le temps. C'était plus fort que moi. Une véritable obsession. Tout ce qui me passait devant, il fallait que je le dévore. Même la nuit, je me réveillais pour enfourner des biscuits, de la glace, des cacahuètes, n'importe quoi, il fallait que je me remplisse !

Kurger nota mentalement. Le terme « se remplir » n'était pas anodin. Il ne grossissait peut-être pas pour mettre de la distance entre lui et le monde, pour se protéger, mais peut-être davantage pour combler un manque. *Sam, tu tombes dans la facilité... Écoute-le plutôt.*

— Certains soirs, continua Hores, je ne pouvais pas m'endormir en sachant qu'il restait un paquet de biscuits dans le placard, il fallait que je le mange. J'ai eu une période où je vidais toute la cuisine de la moindre nourriture avant de monter me coucher ! Mais c'était pire en fait. Je finissais par prendre la voiture à 2 heures du matin pour trouver un commerce ouvert... Je ne pouvais pas lutter, il fallait que je mange ou... J'étais incontrôlable, comme fou ! Vous savez quand, soudain, votre dos vous démange et qu'il faut que vous vous grattiez immédiatement, eh bien moi c'était ça avec la bouffe, dix fois par jour ! Parfois vingt ! Une pulsion démente qui ne cessait qu'avec l'estomac plein à ras bord. Impossible de faire autre chose. Et cette saloperie se vidait presque plus vite encore !

Hores transpirait abondamment, des auréoles commençaient à baver sur les manches de sa chemise.

— Alors, dit-il, je suis allé voir mon médecin qui m'a posé des questions sur moi, ma vie privée, professionnelle, le stress, etc. Mais tout allait bien avant ce… cette boulimie ! Il m'a envoyé faire des examens à l'hôpital, pour être sûr. Et c'est là qu'ils l'ont détectée.

— Quoi donc ? Un dérèglement hormonal ?

— Non. Une sorte de tumeur. Les médecins ont tout de suite pensé cancer de l'estomac. C'était une tache noire logée contre la paroi, pas très grosse mais tout de même. Étrangement mes analyses sanguines étaient bonnes, cependant les scanners ont confirmé la présence d'une masse gélatineuse dans l'estomac. Je me suis fait opérer trois fois en près d'un an. La première fois ils n'ont rien trouvé, et ils ont supposé qu'elle s'était détachée ou résorbée juste avant de passer sur le billard. Mais un mois plus tard elle était à nouveau présente sur l'imagerie. La seconde fois, rebelote, rien une fois ouvert sous les scialytiques !

— Et la troisième ?

— Ablation de l'estomac. Enfin d'une partie, tout le côté où la masse avait apparu. Je n'en pouvais plus. Il fallait qu'ils me retirent cette chose de moi. C'était il y a quatre mois.

— Et depuis ?

— Rien n'a changé. Je mange toujours autant, non, en fait je mange *encore plus* ! Je vais crever docteur. Ce truc en moi est en train de m'assassiner petit à petit !

— Vous avez refait des scanners récemment ?

— Oui, et elle est encore là. Quoi qu'on fasse, cette saloperie ressurgit toujours. C'est comme si elle était... *maligne* ! Elle se planque, elle se défend !

— Et rien du côté des analyses sanguines ? s'étonna Kurger. Pas de cancer, pas de problème hormonaux, rien du tout ?

— Mis à part le cholestérol qui est apparu, le diabète, et globalement tout mon organisme qui répond plutôt mal à toute la merde que j'ingurgite, non, aucune maladie qui expliquerait cette tumeur.

Kurger ne quittait pas son nouveau patient du regard. C'était un cas singulier, il ne pouvait pas le nier. Bien plus intéressant que ce qu'il avait craint les premières minutes. Si son histoire était vraie bien entendu...

— Et si nous revenions au point d'origine, proposa-t-il. Vous souvenez-vous comment tout a commencé ?

— Vous pensez bien que j'ai eu le temps d'y penser. Je me suis repassé toute ma vie de cette époque.

— Elle ressemblait à quoi cette existence ?

— Rien d'original, comptable, divorcé depuis deux ans, pas d'enfant, une histoire sérieuse depuis ma séparation, mais qui n'a finalement pas fonctionné...

— Vous étiez célibataire au moment où votre obsession alimentaire a démarré ?

— Oui. J'avais eu une aventure avec une fille rencontrée sur Internet trois semaines avant, mais juste un soir. Non, ça ne vient pas de là, je vous le dis : je menais une vie tout ce qu'il y a de plus banale mais il y a eu un jour où…

Les prunelles de Patrick Hores s'embrasèrent, ce souvenir l'illumina de l'intérieur. Kurger se concentra sur les moindres signes de son patient.

— Un après-midi, poursuivit le comptable, je venais de faire le plein à une station essence et j'ai vu ce paquet de bonbons sur le comptoir. Je n'avais pas faim, pas du tout, j'avais déjeuné copieusement deux heures avant, ce ne sont pas des bonbons que j'aime particulièrement, et pourtant j'ai eu envie de les acheter. Je ne sais pas pourquoi. Les couleurs, tout cet étalage vif et appétissant, j'ai eu envie de m'enfourner un de ces machins. Je me souviens, comme si c'était hier, m'être dit que c'était crétin, je sortais de table, je n'avais pas le quart du début d'appétit, et pourtant je n'ai pas su résister. J'ai acheté le paquet, et une fois dans ma voiture j'ai lutté pendant encore bien cinq minutes en me disant que je pouvais le laisser là, il y serait quand j'en aurais vraiment envie, mais non, il a fallu que je l'ouvre et que je mange cette friandise. Je ne sais pas pourquoi. Je me suis fait plaisir.

— De la gourmandise, non ? Vous êtes – pardon, vous étiez – plutôt gourmand avant que votre comportement alimentaire ne se dérègle ?

— Oui, de temps en temps, mais je n'étais pas non plus irraisonnable, vous l'avez bien vu sur la photo, j'avais des petites poignées d'amour, un peu de ventre mais rien de bien honteux pour un homme qui approche la quarantaine !

— Mais ce jour-là vous avez « craqué » ?

— On peut dire ça. J'ignore pourquoi. C'était stupide.

Le visage de Hores se ferma brusquement. La sueur maculait une partie de son crâne et sa gorge palpitait.

Kurger hésita à lui proposer un verre d'eau mais il devinait un combat intérieur et ne voulait pas briser l'élan d'une confession possible. Le gros bonhomme avala sa salive comme si c'était douloureux et lâcha :

— C'est un de ces bonbons qui me *hante* depuis. Il est en moi, il refuse de me quitter, et il me commande de manger, encore et encore, jusqu'à la mort.

— Vous pensez *vraiment* que cette friandise est toujours en vous ? Ou est-ce une image que vous employez ?

— Non, c'est elle, je n'ai aucun doute. Cette petite masse de gélatine rouge qui se dandinait quand je l'ai portée à ma bouche... Elle me fait payer le prix de mon vice. Elle est là, cachée en moi, elle me *hante*. Et vous voulez savoir le plus ironique là-dedans ? Sa forme : il ressemblait à un petit diablotin ! Je vous jure !

Un rire sec, presque hystérique, secoua Hores et tout son corps s'agita mollement sur la méridienne avant qu'il ne se calme.

— Vous croyez que je suis fou alors ?

Kurger s'appuya sur les deux accoudoirs de son siège et joignit ses doigts entre eux.

— Fou, non. Mais il y a clairement quelque chose qui se joue chez vous qui est du domaine du psychique.

Un rictus tordit la bouche de Hores.

— Merci, docteur. Je le sais que je ne suis pas dingue, mais j'avais besoin de l'entendre.

— Cela dit, Patrick, il serait bien que nous nous

revoyons rapidement pour essayer de tirer tout cela au clair.

— J'avais besoin d'entendre que je ne suis pas fou. Parce que j'ai un plan vous savez ? Un peu extrémiste certes, mais c'est tout ce que j'ai. Si je n'agis pas maintenant il sera bientôt trop tard. Ce truc me tue. Ce qui reste de mon estomac est dilaté, tout mon corps craque, je vais rompre docteur, je vais rompre comme un vulgaire ballon en plastique trop gonflé et dans lequel on souffle une dernière fois, pour voir...

— Vous ne devriez pas prendre de mesure trop radicale Patrick, maintenant que vous avez décidé de démarrer une thérapie, je crois qu'il...

— Ce soir en rentrant je m'enferme le temps qu'il faudra, l'interrompit Hores. Dans une pièce murée, sans nourriture, sans rien d'autre qu'une réserve d'eau. Le concierge viendra m'ouvrir dans cinq jours. Je pense que cinq jours suffiront.

— À quoi ? demanda Kurger inquiet.

— À fatiguer cette saloperie. Elle a tellement faim, croyez-moi, qu'elle ne tiendra pas deux jours à vrai dire. Je la connais maintenant ! Deux jours je lui donne !

Kurger prit une profonde inspiration.

— Et vous vous attendez à quoi ?

— À ce qu'elle sorte de moi, bon Dieu !

— Comme s'il s'agissait d'un... parasite ? Vous savez, votre méthode ressemble plus à une tentative un peu brutale de sevrage, comme celles qu'on peut parfois employer avec les toxicomanes. Mais il existe des protocoles moins violents qui...

— Non ! Ça ne marchera pas ! Cette chose est bien trop futée ! Elle est rivée à moi comme si sa vie en dépendait ! Elle ne me quittera que si je l'y oblige, que si elle n'a pas d'autre choix.

— Et vous pensez qu'après cinq jours de diète totale, vous serez... guéri ?

— À vrai dire... J'ai omis un détail : je ne serai pas vraiment seul. Je prends un chat avec moi.

Kurger pencha la tête pour fixer son patient par en dessous.

— Pour quoi faire ?

— Je me suis dit que cette saloperie ne me quittera pas si elle n'a pas un hôte de rechange. Quand *elle* sera affamée, qu'elle pigera qu'elle ne peut plus me contrôler, elle ira dans le chat !

— Quand vous dites *elle*, vous pourriez me définir plus précisément à quoi vous pensez ?

— Et bien... à cette saloperie en moi, cette tumeur maligne !

— Vous en parlez comme s'il s'agissait de quelqu'un, vous vous en rendez compte ?

— Parce qu'elle pense ! Elle est fortiche ! C'est pas un hasard si on dit qu'elle est maligne... Mais je vais être plus futé ! Ah ça oui ! Je vais la battre à son propre jeu.

Kurger se passa une main sur le front. La journée commençait à être longue.

— Patrick, vous avez songé à la situation ? Vous et un chat enfermés pendant cinq jours ? Si vous désirez vous infliger ce traitement eh bien soit, personne ne pourra vous en empêcher, mais, pour l'animal, c'est de la cruauté.

— J'ai pris un gros matou bien gras, il le sentira passer, certes, mais il s'en remettra. Enfin, façon de parler.

Hores empoigna le rebord de la méridienne et au

prix d'un effort titanesque il se releva, absorbant tout l'espace entre le fauteuil et le psy.

— Ma décision est prise, docteur, sinon je vais crever. Merci de m'avoir reçu en urgence.

*
* *

Patrick Hores hanta les pensées de Kurger pendant trois jours. Il regrettait son absence. Un cas vraiment à part. Les carences, les abus ou toutes autres formes de trauma, qui œuvraient dans le cerveau de Hores, attiraient Kurger. Il avait envie de le revoir, identifier les causes et l'accompagner dans la compréhension. En bon professionnel, Kurger avait des années de pratique, et il savait cloisonner au mieux, ne pas « vivre avec ses patients ». Son éventail allait du vague à l'âme au traumatisé au bord de la rupture, mais globalement, si chaque être humain était unique, il fallait bien l'avouer, tous tournaient autour des mêmes combinaisons. Hores, lui, était différent. Pas seulement dans sa pathologie, mais aussi dans sa façon de l'aborder. Si brutale, si entière, si… *envahissante*. Et c'était probablement pour cela qu'il prenait de la place, tout autant dans le monde que dans l'esprit de Kurger.

Le psychothérapeute hésita à contacter les services psychiatriques pour prendre en charge son patient, mais il avait retourné le problème dans tous les sens, rien, juridiquement, ne l'y autorisait. S'imposer une diète, même aussi radicale, n'était pas un critère d'internement. Il y avait bien l'histoire du chat, mais là encore, le temps de faire jouer une association de protection des animaux, de mobiliser les forces nécessaires, de vaincre l'inertie du système

administratif, et une bonne semaine se serait écou-
lée, autant dire qu'il serait trop tard. Était-il à ce
point important d'agir ? D'outrepasser son rôle, son
autorité, et d'intervenir directement dans la vie d'un
homme qu'il n'avait vu que quelques minutes ?

Pris par ses consultations, par sa vie, Sam Kurger
laissa peu à peu tomber. Il avait presque oublié
son drôle de patient lorsque le téléphone sonna le
jeudi suivant, en fin de matinée. C'était la police.
Dès que le nom de Patrick Hores fut prononcé,
Kurger ferma les paupières et se laissa tomber dans
son fauteuil. Les flics voulaient lui parler. Il était
manifestement la dernière personne qu'il avait vue
selon son agenda, où le rendez-vous était inscrit en
rouge et souligné. Kurger comprit immédiatement,
demanda où étaient les inspecteurs et nota l'adresse
avant de sauter dans un taxi.

Patrick Hores vivait dans un immeuble ancien,
aux murs de pierre épais, ornés de gargouilles
inquiétantes, aux portes grinçantes, et aux hautes
fenêtres en ogives. Des policiers en uniformes occu-
paient le palier du cinquième étage et empêchaient
les voisins curieux de s'approcher. Kurger déclina
son identité et glissa dans le vestibule où flottait une
odeur âcre, mélange de transpiration, de renfermé
et d'une fragrance plus métallique, presque écœu-
rante. Un quadra, les cheveux en pagaille, jeans et
veste en cuir usée, s'approcha pour saluer Kurger.

— Je suis l'inspecteur Dean. Inutile d'aller plus
loin. Vous n'avez pas envie de voir ça, croyez-moi.

— Comment est-il ? demanda le psychothérapeute.

— À votre avis ?

L'attention de Kurger était saturée par les informations, l'entrée de l'appartement assez négligée, le

début d'un salon qu'il entrapercevait ensuite, avec des piles de livres d'art, les cadres aux murs, et toute l'agitation autour d'eux, policiers, médecins, experts scientifiques... Et au milieu de tout ça, Kurger intégrait la mort certaine de Patrick Hores, ce patient hors normes qui était venu chercher son aide et qu'il n'avait pas su écouter comme il se devait. Kurger n'était dupe de rien, il savait qu'il n'était pas véritablement fautif, qu'il renoncerait bientôt à la culpabilité, au nom du détachement et du professionnalisme. Toutefois, la mort de Patrick Hores ne serait jamais bien loin. Pour l'heure, elle était même juste là, jusque dans l'air qu'il respirait.

— C'est... c'est lui cette odeur ? osa le psy.

Dean hésita puis acquiesça.

— Qu'est-ce que vous pouvez me dire à son sujet ? Pourquoi est-il venu vous voir ?

Mais Kurger était débordé de questions, trop pour répondre à celles des autres.

— Il s'est suicidé n'est-ce pas ?

Conciliant, l'inspecteur commença par répondre :

— Je l'espère.

Kurger fronça les sourcils, décelant dans le timbre de voix de son interlocuteur un malaise qui l'étonna.

— Comment ça ?

— Eh bien... soupira le flic, si ça n'en est pas un, alors nous avons un véritable taré sur les bras.

— Il s'était enfermé ?

— Oui, dans une pièce vide. Fenêtres condamnées par des parpaings, il avait pris soin de démonter la poignée intérieure de l'unique porte de manière à ne pas pouvoir sortir sans une aide extérieure. C'est le gardien qui est venu lui ouvrir ce matin, comme le lui avait demandé M. Hores. Vous étiez au courant ?

En prenant soin de ne pas baisser ni le regard ni la tête, Kurger confirma d'un « oui » assuré.

— Il voulait s'affamer.

Dean fit une grimace surprise.

— On peut dire qu'il a réussi. Il n'y avait qu'une petite réserve d'eau, on n'a rien retrouvé d'autre. Il s'était enfermé là-dedans, nu. Ce que je ne comprends pas c'est le timing. Il est venu vous voir il y a cinq jours, c'est ça ?

— En effet.

— On ne meurt pas de faim si rapidement, pas en cinq jours, avec de l'eau à disposition.

— C'est la cause du décès ?

L'inspecteur fit une nouvelle grimace, gênée cette fois.

— Si on veut.

— C'est-à-dire ?

Les deux hommes se toisèrent un instant avant que le flic ne décide de partager :

— Patrick Hores s'est affamé au point de se dévorer.

Kurger serra les mâchoires.

— Pardon ?

— Ce qu'il y a dans la pièce au bout de ce couloir, c'est un homme en obésité morbide étendu sur le sol, dans une pièce qui avait autrefois des murs blancs. Il s'est mangé les mains, les bras et tout ce qu'il a pu attraper de lui-même jusqu'à sombrer dans l'inconscience, vidé de son sang. Avant ça, il a commencé par s'attaquer au plastique des bouteilles d'eau pour finalement se rabattre sur sa propre chair. Je pense qu'il aurait bouffé n'importe quoi se trouvant avec lui.

L'appartement tanguait autour de Sam Kurger. Soudain il repensa au plan diabolique de son patient et ses mots résonnèrent au loin dans le couloir à moins que ça ne soit quelque part dans sa mémoire : « Quand *elle* sera affamée, qu'elle pigera qu'elle ne peut plus me contrôler, elle ira dans le chat ! »

— Et le chat ? demanda-t-il d'une voix atone.

— Quel chat ? Il n'y avait pas de chat quand on est arrivé.

— Le gardien, quand il a ouvert, il ne l'a pas vu ?

— Je n'en sais rien mais, compte tenu de ce que j'ai vu dans cette pièce là-bas, si M. Hores avait le projet de s'enfermer avec un matou, je pense qu'on le retrouvera, ne vous en faites pas, mais à l'autopsie, et dans son estomac.

Kurger attrapa le rebord d'une banquette et se laissa tomber sur ses coussins moelleux. Dean resta debout, dominant le psy.

— J'aimerais savoir pourquoi il est venu vous voir ? Parce qu'à ma connaissance, je ne crois pas qu'on en arrive à se dévorer soi-même, jamais. Est-ce que vous pourriez dire que M. Hores avait des problèmes... disons... d'ordre psychiatrique ?

Après un long moment, Kurger finit par hocher la tête.

— On peut le dire, oui.

Le flic se fendit, pour la première fois, d'un léger sourire, à peine un rictus. S'il récupérait un psy prêt à certifier que le mort était un taré alors l'enquête serait bouclée le jour même, comprit Kurger. Problème résolu, au suivant !

Le flic continua à lui poser des questions, et Kurger fit de son mieux pour répondre pendant que des hommes discutaient un peu plus loin pour trouver un moyen d'évacuer ce corps si encombrant.

En début d'après-midi, Sam Kurger annula tous ses rendez-vous et rentra chez lui. Il n'était pas capable d'assurer ses consultations dans un état pareil, il avait besoin de repos, de réfléchir, de recul pour se dédouaner, pour intégrer qu'il n'y était pour rien, qu'il n'aurait rien pu faire pour empêcher le drame. Ce n'était pas gagné d'avance. Patrick Hores était responsable de sa propre mort, en livrant un combat avec ses démons, ceux-là mêmes qui avaient pris la forme d'une obsession autodestructrice. Avait-il véritablement développé un cancer de l'estomac ? Peut-être... Mais c'était avant tout un mal psychologique qui l'avait rongé. En même temps, n'était-ce pas la même chose ? Kurger opina et parla tout haut pour lui-même, tandis qu'il sortait de son ascenseur :

— N'est-ce pas ça une tumeur ? De la merde mal digérée par notre organisme, à commencer par notre tête, et qui nous dévore petit à petit...

Kurger le croyait, lui. Nos cancers ne sont que le résultat concret des maux de nos âmes. Ce qu'on refoule, ce qu'on nie. Tout s'entasse. Détourner les yeux de ce qui nous dérange ne le fait pas disparaître pour autant, au contraire, il ne le fait que pourrir davantage dans son coin. Et un jour il se répand, déborde, et nous retombe dessus.

Kurger poussa la porte de son appartement en même temps qu'un profond soupir. Et lui-même, quels monceaux de pourriture entassait-il depuis toutes ces années ?

Il secoua la tête. Il avait besoin de solitude. D'un bon disque de jazz, d'un thé glacé et peut-être d'un de ces paquets de biscuits qu'il affectionnait tant. Besoin de réconfort.

Il entra en jetant son manteau sur le rebord d'une chaise, sans remarquer la petite silhouette qui venait de se faufiler en silence entre ses jambes.

Une créature affamée qui regarda, d'un air gourmand, Sam Kurger entrer dans la cuisine.

Un chat noir aux babines écumeuses.

Alexandra LAPIERRE

Nulle, nullissime en cuisine !

Nulle. Nullissime en cuisine ! Cette périphrase m'a toujours stigmatisée. Un handicap pour la vie. Pis : une véritable infirmité.

Il faut reconnaître que j'ai de qui tenir. Chez mes parents, la nourriture a toujours été un tabou.

Ma mère, qui travaillait comme mannequin chez Dior, méprisait les plaisirs de la bouche et tenait pour vulgaire quiconque aimait manger. Son jugement était, sur ce point, d'une sévérité intraitable. Les arts de la table n'avaient pas droit de cité dans sa vie, et les « gloutons » étaient bannis de son entourage. Et pour cause ! Manger signifiait pour elle grossir et perdre son gagne-pain... Oups ! J'ai prononcé le mot interdit : *pain*. Durant mon enfance, je crois n'en avoir jamais vu sur la table. Pas plus que du sucre et de la farine dans les placards. Quant au beurre : *vade retro Satanas !* Pas de lait, bien sûr, sinon écrémé. Le réfrigérateur restait vide par principe. Et quand on l'ouvrait, ce n'était que pour y prendre un yaourt à 0 % et l'avaler à la lueur de la veilleuse de la porte, debout dans l'entrebâillement. Vite, vite, vite... Car, en plus de faire engraisser, aux yeux de ma mère, manger n'était rien d'autre qu'une perte de temps. On avait mieux à faire que de gâcher de précieuses minutes – on ne parle même pas d'heures – à confectionner et à engloutir des repas ! L'existence était trop courte, l'énergie trop précieuse, pour les gaspiller dans de telles trivialités.

Si ma mère jugeait que la gourmandise était bien un péché capital, l'une des pires faiblesses de notre pauvre humanité, mon père la suivait sur ce terrain pour d'autres raisons.

Lui ne s'intéressait qu'aux abstractions. Les chiffres et les idées. Il était professeur de mathématiques, passionné par ses formules : un pur esprit qui pouvait vivre d'air et d'eau. La chère, bonne ou mauvaise, ne le touchait pas... On pouvait lui faire avaler n'importe quoi. En vérité, ses papilles ne lui indiquaient pas vraiment la différence entre deux ingrédients. Il trouvait appétissante une vieille tranche de jambon et se contentait volontiers d'une soupe en sachet ou d'un foie de morue en boîte. Quant au reste, il se satisfaisait du même menu, semaine après semaine. Ma mère le disait *facile*. Elle ne le caractérisait par ce mot qu'en matière de *bouffe* – ainsi appelait-elle la nourriture –, et par opposition aux instincts de leur fille unique. Moi, Sophie.

À l'inverse de mes géniteurs, j'étais extrêmement portée sur ce qu'ils appelaient, eux, *les cochonneries* et moi, *les bonnes choses*. Mes goûts en la matière étaient des plus simples : guimauves, roudoudous, Carambars, chocolat et petits gâteaux. Le vice absolu. Je m'en gavais sous le manteau et ne rejoignais ma famille autour d'une table que rapidement, pour réchauffer une casserole et absorber son contenu en un temps minimum.

Résultat des courses : je ne sais rien faire dans une cuisine.

Durant mes études, je n'ai guère progressé dans la voie de la gastronomie. Je suis devenue ethnologue et mes voyages parmi les tribus de l'Amazonie m'ont appris à me contenter de peu.

Mais le destin me réservait des surprises. Ma rencontre avec un garçon du Sud-Ouest, héritier d'une longue tradition culinaire, l'entrée dans ma vie de sa mère et de ses cinq sœurs, toutes obsédées par la qualité des repas qu'elles concoctaient, les heures interminables passées autour d'une table à s'échanger des recettes, à comparer la qualité d'un foie gras, la façon de le saler, de le cuire, de le laisser reposer ; les histoires de canards, de confits et de magrets ; les discussions sur le choix des éleveurs, sur l'importance des fournisseurs ; sans parler des accrochages autour de l'achat de la meilleure gazinière, de l'usage d'une cocotte, d'une terrine ou d'un chaudron... Tout cet univers, qui m'était totalement étranger, me fit l'effet d'une bombe. D'autant que j'étais tombée raide dingue amoureuse du plus grand gastronome de la bande. Alain, mon prétendant, passait pour le meilleur chef dans cette tribu de cuisinières.

Je me mis immédiatement à la tâche... Peine perdue : je découvris avec horreur combien j'étais nulle. Mais nullissime en cuisine ! Non seulement j'ignorais les premiers rudiments de la culture de base – éventuellement, je parviendrais peut-être à les apprendre –, mais je me révélais d'une maladresse chronique devant un fourneau.

De tout temps, les travaux manuels m'ont posé

problème. Dans mon travail, j'arrive néanmoins à me débrouiller. Mais là...

Mais là, dans une cuisine, ma gaucherie prenait une ampleur cataclysmique. Plats cassés, poêles brûlées. Quant aux fameuses casseroles, cocottes ou terrines, elles terminaient toujours à mes pieds.

En dépit de tous mes efforts, impossible d'attraper le coup de poignet pour couper les légumes sans me taillader les doigts. Et je n'évoquerai même pas les cloques sur mes jambes ébouillantées. En un mot, je sortais de mes expériences culinaires comme d'une tranchée. Noire de suie, échaudée, blessée. Et je ne dirai rien de mes résultats. Je tairai les tartes et les viandes carbonisées.

Bref, un désastre.

Ma nullité me désolait d'autant plus que j'avais pris goût à la chose. Non à *faire* la cuisine, bien sûr. Mais à déguster les mets auxquels je m'initiais.

Les choses arrivèrent à leur paroxysme quand le jeune homme qui avait déclenché en moi ce désir de le comprendre et de partager ses goûts, me demanda de l'épouser.

Forte de l'adage que m'avaient inculqué sa mère et ses sœurs « Une femme ne garde son mari que par l'estomac », je paniquai en lui rappelant le danger auquel mon incurie exposait notre couple :

— Je suis nullissime en cuisine !

— Je le sais.

— Tu ne te rends peut-être pas compte à quel point ?

Il balaya l'argument d'un éclat de rire :

— Je te pratique depuis assez de temps pour m'être aperçu de l'ampleur des dégâts !

— Fais gaffe, Alain, fais gaffe, ça ne va pas

s'arranger : non seulement je ne suis pas douée mais en plus, mijoter des petits plats m'ennuie.

— Quelle importance ? C'est moi qui m'en chargerai. Je cuisinerai pour nous deux.

— Et pour les enfants à venir ?

— Oui, pour les quatre enfants que nous aurons.

— Tu n'oublieras pas de les nourrir ? Tu le jures ? Tous les jours ?

Il rit à nouveau :

— Et même deux fois par jour !

Quand il annonça la nouvelle à sa mère et ses sœurs, le verdict fut immédiat et sans appel :

— Sophie te rendra peut-être heureux, mais… Mon pauvre, mon pauvre chéri, avec elle, tu ne vas manger que des nouilles toute ta vie !

Ainsi fut fait.

À une exception près ! Au terme de deux ans de vie commune, mon mari, débordé par son travail, n'avait eu le temps de nous préparer que deux repas. Et s'il ne mangeait pas des nouilles tous les jours, le malheureux devait en effet se contenter du service minimum à la maison. Une grande part de notre budget passait donc dans les gargotes du quartier.

Mon incompétence était désormais de notoriété publique. Entérinée et acceptée.

Nous en étions là quand le directeur américain de la boîte d'import-export alimentaire où Alain travaillait, vint en France et nous invita à dîner au restaurant de son hôtel. Pour nous, la soirée était d'une importance capitale. Alain désirait obtenir un poste au siège et habiter quelques années aux

États-Unis. Quant à moi, je pouvais poursuivre mes travaux de l'étranger, et partageais son rêve.

Nous voilà donc assis dans l'un des temples de la gastronomie parisienne. À mes yeux, à mes narines, à mon palais, tout semble délectable. Je vis une expérience magique… Certes, certes, je ne suis toujours pas « gourmet ». Cependant, au contact des goûts de ma belle-famille, j'ai tout de même fait des progrès ! Finie ma passion des roudoudous et des Carambars : je sais aujourd'hui reconnaître les « vraies bonnes choses » ! Et je lis dans les yeux d'Alain que je ne me trompe pas : lui aussi se lèche les babines. Dé-li-cieux !

Seul bémol à notre plaisir : notre hôte, le grand patron d'Alain, critique tout. La qualité du pain, la couleur du poivre, la taille des grains de sel… Sentencieux, il distille en anglais la liste des autres grands restaurants qu'il a fréquentés de par le monde. Et, à l'entendre, celui-ci est totalement surfait. Comme la plupart des grands restaurants en France. Nos chefs ont une réputation usurpée. Il se présente, lui, comme un gastronome, un vrai, auquel on ne la fait pas. Il pérore interminablement, racontant qu'il a renvoyé l'un après l'autre les plats des chefs les plus réputés dans beaucoup de villes d'Europe. Suit un couplet sur les vins bouchonnés dans les meilleures caves de Bourgogne. Et une nouvelle diatribe sur le fait que la cuisine française ne vaut plus rien…

Dans ce lieu dont le raffinement m'éblouit, la soirée devient difficile et notre hôte… pénible.

Est-ce son dernier chapitre sur la médiocrité de la gastronomie française qui agace Alain à ce point ?

Je l'entends dire avec, à mon endroit, un sourire pince-sans-rire :

— Vous savez toutefois, Monsieur, que vous êtes assis à côté de la meilleure cuisinière de tout Paris ?

J'embraye immédiatement et le suis sur ce terrain en minaudant :

— Oh, tu exagères un peu, Alain... Je me débrouille.

— Vous voyez comment elle est ? Trop modeste ! Même Bocuse et Robuchon lui demandent ses recettes.

— Vraiment ?

Je minaude à nouveau :

— Ce sont de vieux amis, ils sont très indulgents.

— Tu devrais donner à M. Neff le secret de ton « veau Marengo »...

Pourquoi Alain me parle-t-il de veau Marengo ? Je ne sais même pas ce que c'est !

Mais je ris sous cape et dis n'importe quoi.

— Le problème du veau Marengo reste, comme toujours, celui de la provenance de la viande. Ainsi que le choix du couteau pour découper les morceaux. Ah, en la matière, je recommande les couteaux d'origine vénézuélienne, les seuls qui soient acceptables. Et bla bla bla, et bla bla bla, et bla bla bla...

Je délire complètement.

J'ajoute, pour faire bonne mesure, que dans le veau Marengo, il faut absolument mettre du sucre dans les premières minutes, puis du miel quelques secondes plus tard, de la gelée de coing au bout d'une heure, et surtout, surtout de la cardamome au moment de servir.

M. Neff boit mes paroles. Il est charmé par mes connaissances techniques et conclut le repas en me disant que je dois absolument rencontrer sa femme qui est, elle aussi, un très grand chef. Oserais-je ajouter qu'Alain me glisse à l'oreille que l'épouse de M. Neff est un chef américain célébrissime et qu'elle dirige deux restaurants à New York ?

Nous sortons, écroulés de rire.

Mais ce que nous prenons pour un canular va déboucher sur l'impensable : Alain est nommé au siège et nous partons pour Austin, Texas.

Si sa mutation tient du miracle, notre atterrissage aux États-Unis est plus difficile. Nous n'avons pas encore de logement et surtout, surtout, pas de voiture. En attendant mieux, l'une de nos amies nous a trouvé un minuscule studio loin du centre, dans les faubourgs de la ville. Inconvénient : pas un magasin à la ronde. Impossible de faire les courses sans l'aide de ma voisine, qui me conduit au supermarché à une dizaine de kilomètres.

Nous campons depuis dix jours et je me trouve encore dans les affres de l'emménagement quand le téléphone sonne. La voix d'Alain semble sombre :

— Neff est en ville et veut te voir pour le dîner.

— Ouille ! Quand ?

— Ce soir.

— Quelle barbe... Je n'ai pas encore défait les valises et je suppose que je dois vous rejoindre dans le centre. Mais sans voiture, au Texas... Pouvez-vous venir me chercher ?

— Il veut dîner à la maison.

— Ah ? C'est où, chez lui ?

— À la maison, Sophie. Chez nous...

— Ici ? Tu es fou !

— Tu lui as fait un effet bœuf à Paris. Il désire goûter ta cuisine.

— Il va être servi… Blague à part, Alain, il faut tout de suite qu'on réserve une table dans un restaurant.

— Impossible ! Il se répand partout en disant qu'il ne veut plus mettre les pieds dans un lieu public. Qu'il *déteste* tous les restaurants d'Austin.

— Alors, invite-le dimanche, quand toi, tu auras eu le temps de lui concocter l'un des petits plats de ta mère.

— Impossible. Neff *veut* te voir aux fourneaux. Et il veut ce soir… Et quand Neff veut quelque chose, on a intérêt à obéir. Les secrétaires du bureau m'ont dit qu'il était très seul en ce moment. Sa femme actuelle vient de le plaquer et demande le divorce. La précédente a disparu de la circulation. Il a remué ciel et terre pour renouer avec son fils unique, qu'il ne voit plus depuis trois ans. D'après les ragots, le jeune homme le déteste et ne veut plus lui parler. Il s'est même volatilisé.

— Pas fou, le gosse… il le fuit au bout du monde !

— Peut-être. Mais résultat, le tyran fait une déprime… Et le tyran veut dîner chez nous.

— Alain, c'est impossible ! Même si nous pouvions le recevoir ici, je n'ai aucun moyen d'aller faire les courses. En tout cas, aujourd'hui… La voisine n'est pas là pour me conduire au supermarché.

— Qu'avons-nous dans le placard de la cuisine ?

— Rien… Des pâtes.

— Sophie, tu exagères ! Quoi d'autre ?

— Un bocal de sauce tomate au basilic. Tu avais été prévenu, mon vieux : des *nouilles ad vitam*…

Je ris, mais cette fois, il ne me trouve pas drôle. Et la conversation risque de tourner à la scène de ménage... Je le sens tendu et, au fond, très inquiet de l'insistance de Neff.

Je réfléchis et reprends :

— Je te propose une chose... Je range le studio et je dresse une jolie table : cela, je maîtrise. Je cuis les pâtes et réchauffe la sauce tomate : de cela aussi, je suis capable... Nous le recevons. Nous lui offrons un verre. Puis, au moment de servir, je fais tomber le plat dans la cuisine en poussant des hurlements : cela surtout, je sais le faire ! Et ensuite, on l'emmène au restaurant...

— Banco !

Quand j'entends le bref coup de sonnette et la clé dans la serrure, j'ai tout de même le cœur qui s'arrête. Je ne suis pas très habituée à cette sorte de mise en scène. D'ordinaire, je n'orchestre pas mes malheurs culinaires : ils m'arrivent tout seuls.

Neff me salue, solennel. Je n'avais pas mesuré, à Paris, combien il était impressionnant. En costume trois-pièces, la cravate de soie assortie à sa chemise et les mocassins cirés, il évoque un businessman des années cinquante. Il est à la fois pompeux, grand et gros. Dans notre studio, il explose.

Par bonheur, côté apéritif, j'avais trois cacahuètes et une bouteille de Prosecco au réfrigérateur... Pas terrible pour un grand connaisseur de vin, qui ne boit que du champagne avant le repas.

Notre hôte goûte, réfléchit et me demande, d'un air perplexe, ce que c'est. Je réponds :

— Un petit mousseux italien, dont nous ne cessons de nous féliciter... Avec le menu qui va suivre, je ne pourrais rien servir d'autre !

En vérité, si je ne me sentais pas piégée par la situation, j'irais jusqu'à trouver délicieuse l'odeur

de tomate au basilic qui monte de la kitchenette…
« Et si on lui donnait quand même des nouilles, à
ce snob ? »

Du nerf, Sophie, ce n'est pas le moment de craquer.

Neff reprend ses doctes propos, toutes les bêtises
qu'il nous a servies durant notre repas parisien… Et
rebelote quant à la pauvreté de la cuisine française !
Seule variante : il inclut désormais la gastronomie
italienne dans la décadence générale.

Bon. L'heure tourne. Au Texas, les restaurants
ferment tôt. Celui où nous avons réservé une table
est toujours pris d'assaut. Le temps presse. Passons
à notre petite comédie.

Je me lève et disparais derrière le bar de la cuisine américaine. Il peut m'apercevoir, tournant ma
sauce, rajoutant du sel, du poivre, goûtant, trans-
vasant quelque mets délicieux (l'eau des pâtes)
dans un plat, puis dans un autre… Je m'affaire,
je m'affaire, je m'affaire. Et soudain, bing, bang,
boum, avec un cri d'horreur, dans un grand bruit
de casserole, je fais tout tomber.

La seule chose que je n'avais pas prévue, c'est
que la sauce tomate giclerait partout… Le sol, les
plinthes, les livres de la bibliothèque, tout est rouge.
Jusqu'au milieu de la pièce. Quant à moi, je semble
être carrément tombée dans le pot. J'ai de la sauce
tomate dans les cheveux, sur le front, sur ma robe.
Même sur les anneaux de mes boucles d'oreilles…

Ce que je n'avais pas planifié non plus, c'est que
M. Neff aurait, lui aussi, ses chaussures et le bas
de son pantalon totalement maculés. Sans parler
des éclats sur sa cravate…

Le désastre a vraiment pris la forme d'un cata-
clysme.

Ma confusion, à ce stade, est sincère et totale. Comment décrire ma désolation ?

À quatre pattes, je me confonds en excuses en nettoyant furieusement les mocassins de M. Neff. Il me laisse faire. Il se tient debout, aussi rouge que toute la maison, comme tétanisé par l'ampleur des dégâts. Il n'a pas proféré une parole, mais il semble outré. Ou plutôt, au-delà de l'outrage, dans un état proche de l'apoplexie.

Je sens toutefois que, le choc passé, je vais en prendre pour mon grade. Et je courbe l'échine à l'avance, me sentant extrêmement coupable à son égard.

Le seul qui semble avoir échappé à la catastrophe générale est Alain. Pas une goutte de sauce tomate ne l'a atteint, lui. Il reste impeccable dans son costume d'homme d'affaires, et maître de la situation. Lui.

Il a tout de suite compris que, dans l'état où j'avais mis son patron, nous ne pourrions plus l'emmener dîner au restaurant. Aussi, sans attendre, sans même se donner la peine de m'aider à nettoyer le costume de M. Neff, a-t-il décroché le téléphone et commandé une grande pizza.

Dans ma panique, j'avais raté ce détail.

Et le buzz de l'interphone, qui vient interrompre mes nettoyages, met le comble à mon affolement. Ce coup de sonnette semble, d'ailleurs, avoir réveillé M. Neff.

Sortant de son hébétude, il me repousse d'un coup de pied et m'agonit d'injures.

Alors là, j'ai appris l'anglais !

Et j'ai le regret d'annoncer à ma mère qu'elle

a *baisé la terre entière* et qu'elle était une *putain dégueulasse.*

Quant à moi, sa fille, dès mon plus jeune âge, j'ai été *vendue à des Mexicains auxquels je fais des pipes depuis toujours...*

On en était là, quand le livreur de pizza est entré dans le salon.

Par chance, le jeune homme n'est pas mexicain. Sinon, à ce stade d'hystérie, je n'ose imaginer les horreurs que M. Neff lui aurait balancées...

Pendant que Neff continue à m'envoyer me *faire enculer par des pédés,* le garçon dépose le carton de la pizza sur la table basse.

Ce qui se passera ensuite reste à ce jour l'un des moments les plus forts de ma vie.

Le regard du livreur a-t-il croisé celui du patron en fureur, le forçant au silence ?

Quoi qu'il en soit, je n'entends pas la fin de la phrase qui me voue à la *sodomie et à la luxure universelle.*

Et quand je me relève, je suis témoin d'un coup de foudre, comme je n'en ai jamais vu.

M. Neff et le livreur de pizza se tiennent face à face. Ils se dévisagent. Ni l'un ni l'autre ne profère un mot. Ils restent là, en contemplation l'un de l'autre. Et l'émotion qui les étreint bouleverserait n'importe qui.

Même Alain semble pétrifié. Aucun doute possible : ces deux êtres sont tombés en amour. En tout cas, en fascination réciproque. La rencontre à laquelle nous assistons nous dépasse.

Comment mesurer le temps que dure ce moment ?

Alain se tient debout à côté de moi. Tous deux,

nous sommes comme happés par le visage de nos visiteurs.

Le jeune homme est de petite taille, très mince, presque maigre… Si tendu que sa concentration me paraît proche de la souffrance. Ce qui me frappe, ce sont ses yeux levés vers M. Neff. Noirs, brûlants.

M. Neff le domine d'une tête. Ils n'ont rien en commun. Excepté ce regard noir. Et brûlant, lui aussi. Dans celui de M. Neff, je note toutefois une différence : j'y lis une joie indicible.

Je ne comprends pas ce qui se joue.

Du moins, pas immédiatement.

Le jeune homme a brisé le charme en affectant de s'adresser à Alain. Il ne parvient toutefois pas à parler. Mais il s'est ressaisi et lui présente sa facture en silence.

Avant même qu'Alain ait pu réagir, M. Neff a sorti son portefeuille. Il en tire précipitamment un billet de cent dollars, le tend au livreur et lui dit de garder la monnaie.

L'autre le laisse en suspens, son billet à bout de bras. Méprisant, il s'est détourné. Il a empoché l'argent d'Alain et se dirige vers la porte sans un mot. Il va sortir.

M. Neff, pâle comme la mort, vacille, perd l'équilibre et s'effondre sur le sofa.

Je crois à un infarctus et me précipite. Je n'ai pas le temps d'arriver jusqu'au canapé. Le livreur m'a devancé. Penché sur M. Neff, il a desserré son nœud de cravate et crie : « Papa… Papa, ça va ? »

Qui dira la suite de ce dîner complètement fou ?

Nous voilà tous les quatre assis autour de la table basse, tirant joyeusement sur les fils d'une pizza au fromage. Le père et le fils ont trois ans d'amour à rattraper. Ils ne s'en privent pas et dévorent la vie à pleines dents. Je crois que nul n'a jamais trouvé une pizza froide plus délicieuse.

De mes talents culinaires, M. Neff dit qu'il se souviendra longtemps. Il dit aussi que je suis, à ses yeux, la meilleure chef française : la seule capable de ressouder les destins avec mes petits plats, la seule capable d'inventer une bonne bouffe pour réunir les cœurs et les familles brisés.

Nullissime, peut-être ! Mais triomphante...

Agnès LEDIG

Un petit morceau de pain

— Maman, j'ai faim !
— Mange ta main, et garde l'autre pour demain.

Le petit garçon regarde cette baguette d'apparence incroyablement croustillante qui dépasse du panier qu'elle trimballe au bout de son autre bras, celui qu'il ne tient pas. Il a faim, il y a ce pain, mais un gros obstacle entre eux deux : une mère, accrochée à ses principes comme un naufragé à une planche en bois. Lâcher c'est mourir.

C'est la même histoire chaque matin après l'école. Nicolas a faim, d'avoir couru pendant la récréation et réfléchi à ses leçons. Le quart d'heure de marche avant d'arriver à la maison n'arrange rien. Mais c'est un des nombreux principes, *l'activité physique, c'est bon pour la santé*, au milieu des *cinq fruits et légumes par jour*, et du *gras-salé-sucré*. De toute façon, dans le métro, un autre principe dirait de laisser sa place aux vieux et aux femmes enceintes, alors autant marcher.

Sa mère n'est pas méchante, loin de là, elle se débrouille comme elle peut, c'est tout. Élever seule un enfant n'a rien d'aisé. Le problème n'est pas financier. Nathalie a hérité de l'appartement de sa grand-mère, travaille à son compte dans un domaine qui lui permet de bien gagner sa vie, et n'a besoin ni de luxe, ni de démesure pour être heureuse. Par contre, humainement... Quand le géniteur s'est barré sans prévenir – enfin si, en prévenant qu'il n'assumerait rien, puisque ce gosse, il ne le voulait pas – elle a conservé le logement de mamie, son travail, son quartier, ses racines surtout, pour ne pas vaciller au premier coup de vent. Mais elle s'est surtout imposé de garder le cap de la mère parfaite en ligne de mire. Dès la naissance. Arroser son fils de bons principes est, selon elle, la meilleure solution pour qu'il pousse droit. Et s'il pousse droit, il ira haut. C'est normal de vouloir le meilleur pour son enfant. Non ?

Ce matin-là, Nicolas n'a aucune envie d'aller haut, il a surtout faim. Vraiment faim. Parce qu'il s'est fait piquer son goûter à la récré. Les grands du CM1 qui ont repéré depuis quelques semaines qu'il avait toujours de bonnes choses dans son sac et qu'il n'était pas du genre à se battre dans la cour de l'école pour défendre son morceau. Et dire qu'en plus, il n'a même pas eu le temps de prendre un petit-déjeuner. La coupure de courant dans la nuit a été fatale au réveil maternel, et donc à son bol de céréales. Elle n'a même pas pris le temps de lui mettre quelques gâteaux supplémentaires dans le sac tellement elle craignait d'être en retard à l'école. Ça ne se fait pas. Principe de planche en bois. Sur le trottoir, tiré par sa mère qui slalomait entre les passants, il ne marchait pas, il volait, les cheveux ébouriffés au vent, la joue marquée d'un graphisme géométrique inspiré des plis de l'oreiller, et son sac à bout de bras, qui suivait comme la banderole d'un avion publicitaire.

Sur le trottoir, devant la boucherie où elle fait la queue pour leur repas de midi, il a tellement faim, avec ce panier qu'il porte en l'attendant, et une baguette désormais à portée de main, sans obstacle, qu'il imagine toutes sortes de scénarios. Il a bien pensé en arracher un morceau discrètement. Ou alors, entrer quand même dans le commerce, se poster à côté de sa mère et fixer sans ciller le boucher d'un regard implorant jusqu'à ce qu'il lui propose un morceau de saucisse. Mais elle ne veut pas qu'il mange avant d'être à table, ça coupe l'appétit. C'est comme ça, et pas autrement.

Pousser droit pour aller haut.

Alors il essaie de penser à autre chose. À côté de lui, devant la rôtisserie où grillent des poulets qui dégagent de délicieux mais fourbes effluves, un chien est assis, stoïque, insensible aux deux filets de bave qui commencent à s'échapper de chaque côté de sa gueule fermée. Ça finit aussi par couler chez l'enfant, un peu plus haut, au niveau des yeux.

Il préfère encore rester sur sa faim qu'essuyer une colère passagère, ou la décevoir. Après tout, la planche en bois, il est dessus aussi, qu'il le veuille ou non.

— Pourquoi tu pleures ?

L'homme s'est accroupi pour être à hauteur de l'enfant. Il n'est ni jeune, ni vieux, les cheveux noirs, épais et saupoudrés de blanc, barbe naissante sur une mâchoire carrée, des yeux bleu foncé, et des dents très blanches, que Nicolas remarque instantanément, car le sourire est généreux. Il a surtout une baguette coincée sous le bras, qui arrive à vingt centimètres du nez du garçon. Double supplice.

— Parce que j'ai faim.

— Pourquoi tu ne manges pas un petit morceau de ton pain ?

— Parce que je n'ai pas le droit.

— Elle n'est pas à toi, cette baguette ?

— Si, mais maman ne veut pas.

— Pourquoi elle ne veut pas si tu as faim ?

— Parce qu'elle dit que c'est pas bon de manger en dehors des repas.

— C'est presque le repas, là. Il est midi. Elle est où ta maman ?

— À la boucherie. Il y a trop de monde dans la file, elle voulait que j'attende dehors.

— Tu crois qu'elle nous voit ?

— Non, pourquoi ?

— Parce que je partagerais bien un petit bout de baguette avec toi. Moi aussi, j'ai un peu faim, et je déteste avoir faim. J'ai l'impression d'avoir des grenouilles dans le ventre. Pas toi ?

— Moi, c'est des vers de terre.

— Tiens, nourris tes vers de terre, je m'occupe de mes grenouilles.

Il lui tend le morceau qu'il vient de découper de sa baguette sous le bras, et en brise un pour lui. Ils se sourient, sans un mot, en mâchant au service de leurs bestioles respectives. Puis il part en lui adressant un clin d'œil, et en le laissant, la bouche encore pleine, heureusement du dernier morceau, juste avant que sa mère ne revienne avec ses deux steaks hachés dans la main. Nicolas s'arrête de mastiquer. Il avalerait bien la mie restante, mais elle est encore trop volumineuse pour ne pas prendre le risque de s'étouffer. Il espère donc qu'avec le temps, elle se dissoudra progressivement dans la salive, et glissera délicatement dans sa gorge. Il lui suffit de ne rien dire jusqu'à la maison.

Ni vu, ni connu.

Mais sa mère le voit, le connaît, et lui demande immédiatement ce qu'il mange. Quand Nicolas lui répond « du pain », elle regarde alors la baguette. Le bout qui dépassait est intact. Elle la retourne pour vérifier l'autre côté, imaginant qu'il est capable de pousser le vice jusqu'à dissimuler intelligemment le délit. Et là, elle regarde son fils, les yeux écarquillés.

— Où l'as-tu trouvé ?

— C'est un monsieur qui me l'a donné.

— Quel monsieur ?

— Je sais pas.

Le garçon passe alors l'ascension des trois étages de l'immeuble à réviser le principe en bois de « *l'inconnu à qui l'on ne parle pas* ». À chaque palier, la jeune femme s'arrête pour respirer, réfléchir, lever les yeux au ciel puis en remettre une couche en attaquant les marches suivantes.

Le repas et la table se préparent en silence. Et Nicolas se jette sur son assiette, sans comprendre pourquoi, malgré les minutes qui défilent, celle de sa mère reste pleine.

— Pourquoi tu manges pas, maman ?

— J'ai pas faim.

— Ça va pas ?

Trois mots de trop qui font déborder le vase de peine et de peur plein à ras bord qu'elle a jugulé jusque-là.

Non, ça ne va pas. Parce que l'inconnu qui a donné un morceau de pain à l'enfant aurait tout aussi bien pu l'emmener avec lui, l'enlever, l'expédier en Asie dans un trafic d'enfants, ou le violer et le tuer en l'abandonnant dans une ruelle sombre à quelques dizaines de mètres d'ici. Tout ça pendant qu'elle achetait ses steaks hachés, tout en souriant poliment au boucher qui essayait de l'emballer en même temps que la viande dans le papier sulfurisé.

— Il ne faut pas parler aux inconnus, lâche-t-elle, entre deux reniflements. Ça peut être dangereux.

— Mais il était gentil.

— Justement !!!

— Alors on peut parler à personne si on peut parler ni aux méchants parce qu'ils sont méchants, ni aux gentils parce qu'ils sont gentils ?

— Quand je suis là, si.

— Mais t'étais juste à côté.

— Et je n'ai rien vu...

Puis elle se remet à pleurer.

Le petit garçon finit par passer son bras autour de son cou et lui dire dans l'oreille qu'elle ne doit pas être triste, qu'il est là, et qu'il ne parlera plus à personne, promis, puis il ajoute :

— Si t'as pas faim, je peux prendre ta viande et tes gnocchis ?

— Oui, mon chéri. Mange, mange à ta faim, comme ça, tu n'auras plus besoin de prendre du pain chez les autres.

De fatigue, de peur et de culpabilité, les larmes.

De fatigue, de peur, de culpabilité et de honte.

Ah, il est beau l'habit de la mère parfaite, si c'est pour voir l'édifice s'écrouler pour un moment d'inattention, une baisse de vigilance passagère.

Elle essuie les vents en allant se réfugier dans les bras de Nicolas qui sent bien que ce n'est pas trop le moment pour demander un dessin animé. Il n'avait vraiment pas l'impression d'être en danger en acceptant ce morceau de pain, mais elle est tellement secouée qu'il se trompe peut-être. À moins que... Ça existe, une mère qui se trompe ?

Quinze minutes de marche dans l'autre sens, en silence, sans panier, sans baguette qui dépasse, sans faim. Juste la promesse d'un pain au chocolat à 16 heures, afin de compenser le matin à jeun pour l'enfant, compenser la peur, la culpabilité, la honte pour la mère.

Finalement, il passe l'après-midi à penser et à digérer. La double dose de steak-gnocchis pèse lourd sur l'estomac. Les larmes de sa mère aussi. Il ne sait pas lesquels il digérera le mieux. À sept ans, on est un grand, on ne doit pas faire pleurer sa maman. Mais il repense à l'homme de midi. C'est dommage qu'on ne puisse pas parler aux gentils, quand ils sont vraiment gentils.

Le petit pain est gros. Elle a pris le format maxi. Triple barre de chocolat. Du sucre glace partout qui colle aux doigts. Mille six cents calories à lui tout seul. Mais Nicolas a encore un processus de digestion en cours. Le ventre ne précise pas si ce sont les pâtes ou le chagrin maternel. Il le mangera plus tard.

— Tu es sûr ? Pour une fois, tu as le droit de manger avant d'être à la maison, tu sais ? !

— Oui, mais j'ai pas faim.

— Comme tu veux. Je peux te prendre un petit morceau, alors ?

Et là, Nicolas se souvient qu'elle n'a rien mangé à midi. Décidément, aujourd'hui, c'est du grand n'importe quoi dans l'onglet « nourriture » de leur vie.

Ils se sont assis quelques instants sur un banc du parc Monceau, sur le chemin du retour. Nathalie a attaqué la viennoiserie, pendant que Nicolas lui raconte son après-midi en regardant les pigeons. Ils sont agglutinés devant eux, à chercher les miettes dans le gravier de l'allée. Gênés par l'arrivée d'un coureur à pied, les volatiles s'éloignent dans un envol désordonné. Quand Nicolas lève les yeux vers le fauteur de trouble qui arrive d'un pas léger, il croise le regard de l'homme au pain.

— Oh, bonjour garçon. Tu te sens mieux ? demande-t-il en s'arrêtant à leur hauteur et en posant ses mains sur le haut de ses genoux pour récupérer un peu d'oxygène.

Nathalie range instantanément la viennoiserie dans son sachet et frotte discrètement la commissure de ses lèvres du revers de la main. Pour le sucre glace. Elle aurait bien envie de demander à Nicolas qui est cet homme. Mais la bouche pleine…

— Oui, ça va mieux. C'est ma maman, dit-il en la montrant avec son pouce.

— Bonjour Madame.

Elle avale précipitamment la dernière bouchée avant de le saluer.

— Je comprends mieux pourquoi ce petit est affamé si vous lui mangez son quatre-heures.

Nathalie reste interdite face à cette remarque, les yeux ronds et le dernier morceau coincé dans l'œsophage.

— Qui êtes-vous pour vous permettre ?

— Je vous taquine, précise-t-il en souriant.

— Maman, c'est le monsieur qui m'a donné le morceau de pain ce midi.

— Ah, c'est vous ? Et de quel droit vous abordez les petits garçons seuls sur le trottoir ? Vous n'avez pas honte ?

— Non.

— Vous devriez.

— Non plus.

— Ah. Et pourquoi ?

— Parce que je n'ai rien fait de mal.

— Mais vous auriez pu.

— Si j'avais été un psychopathe, oui, mais je n'en suis pas un. J'avais du pain, il avait faim, je lui ai donné un morceau, je ne vois pas où est le mal.

— Je lui apprends à ne pas manger avant le repas.

— Même s'il pleure ?

— Il pleurait ?

— Le liquide translucide qui s'échappait de ses yeux évoquait assez précisément ce que j'appelle des larmes.

— Tu avais si faim que ça ? demande-t-elle alors à son fils en se tournant vers lui.

— Oui, murmure-t-il en regardant le bout de ses chaussures et le pigeon qui s'en approche à quelques dizaines de centimètres.

— Pourquoi tu ne l'as pas dit ?

— Je te l'ai dit.

— Tu me le dis tous les midis.

— Mais là, on n'a pas eu le temps de prendre le petit-déjeuner.

— Et ton goûter ?

— Ils me l'ont piqué, dans la cour, les grands.

Nathalie reste quelques instants dubitative. Puis elle lève les yeux vers le ciel pour tenter de retenir son liquide translucide à elle. En vain.

L'homme s'assoit au bout du banc, en respectant une distance de sécurité, pour ne pas lui donner l'impression de l'envahir. Il prend alors conscience de sa dégaine. Pas franchement sexy. Le short court de course laisse apparaître ses cuisses blanches et fines, le T-shirt a absorbé la transpiration dans un V caractéristique, ses cheveux doivent être plats sur la tête, quelques mèches collées au front brillant. Quant à l'odeur. L'odeur... D'où la distance de sécurité aussi.

— Je crois que ce n'est pas bien grave tout ça, dit-il alors à voix basse.

— Si, c'est grave, dit la jeune femme en se cachant le visage dans les mains.

— Ben non, maman, c'est pas grave, tu vois, je vais bien.

— Vous voyez, il va bien. Ce n'est pas grave. Il n'est pas mort d'inanition, je ne l'ai pas kidnappé, et il vous a même autorisé à manger son pain au chocolat. Enfin j'espère.

Nathalie glousse au milieu des larmes.

— Oui, je lui ai demandé si je pouvais.

— Vous êtes bien élevée. Déjà qu'il s'est fait piquer son goûter du matin, ce serait un comble que sa mère lui pique son quatre-heures. Je m'appelle Alain, ajoute-t-il en lui tendant la main.

Ce petit garçon, c'est moi. Il y a vingt-trois ans. J'en avais sept. L'âge de raison. En tout cas celui où on commence à comprendre certaines choses de la vie. Ce jour-là, je m'en souviens comme si c'était hier, parce qu'il a changé la mienne, de vie. Dire que c'est un morceau de pain qui a modifié la trajectoire de mon existence. Parce que sur le banc, devant la gentillesse de l'homme, et malgré son odeur, ma mère a accepté qu'il nous invite au restaurant le soir même, pour mettre un peu d'ordre dans notre alimentation chaotique. En un regard bleu foncé, elle a laissé tomber ce grand principe qui un autre jour l'aurait incitée à répondre non. L'alchimie qui a joué à ce moment-là reste toujours mystérieuse à mes yeux, mais elle a fonctionné, seul le résultat compte.

Le soir, nous avons dîné à la petite brasserie de notre rue. Il s'était lavé et sentait bon. Ma mère aussi sentait bon. Elle avait mis son parfum de fête, celui qu'elle gardait pour les grandes occasions. Il habitait à cinquante mètres de chez nous, dans un immeuble voisin, de l'autre côté de la rue. En se penchant un peu à notre fenêtre, on pouvait voir la sienne. Ils se sont rendu compte au fil de la soirée qu'ils partageaient quelques centres d'intérêt importants, même s'ils étaient aux antipodes pour d'autres choses. J'étais un peu dépassé par la discussion, et surtout, obnubilé par mes frites maison, que je trempais consciencieusement dans le mélange ketchup-mayonnaise que je m'étais constitué dans un coin de l'assiette, pour mon plus grand bonheur. Ça n'arrivait jamais. Maman ne voulait pas. C'était l'un ou l'autre, mais pas les deux. D'ailleurs, la discussion entre eux à ce sujet avait occupé un bon bout du début du repas. Je croyais innocemment que, comme il nous invitait, j'aurais le droit, cette fois-ci, de faire ce que mes copains me décrivaient quand ils allaient manger au Mac Do du coin.

— Non, Nicolas, tu choisis entre la mayonnaise ou le ketchup, je te l'ai déjà dit.

— Pourquoi ne voulez-vous pas qu'il mélange les deux ?

AGNÈS LEDIG

— Parce que ça fait trop. Et puis, il faut
apprendre à choisir dans la vie.
— Avez-vous seulement goûté un jour ce que
ça donne ?
— Non.
— Pourquoi ?
— Parce que je ne vais pas m'autoriser quelque
chose que j'interdis à mon fils.
— C'est tout à votre honneur. Mais pourquoi
l'interdire ?
— Je vous l'ai dit. Ça fait trop.
— Et alors ?
— Et s'il ne finit pas ?
— Et alors ?

Il l'avait cuisiné un moment, j'avais même
compté le nombre de « Et alors ? » qu'il avait
enchaîné jusqu'à la faire réaliser qu'elle n'avait
aucun argument vraiment valable. Elle avait fini
par m'y autoriser, en souriant bizarrement, comme
si ça lui faisait mal d'admettre. Et puis, Alain l'avait
incitée à tremper une frite dans le mélange interdit.
Elle avait aimé.

Je crois que c'est là qu'elle a lâché sa planche en
bois. Sans mourir évidemment. Ma vie a changé
grâce à un morceau de baguette et la sienne grâce
à un mélange ketchup-mayo. Le destin tient parfois
à peu de chose.

Il tient surtout à la présence de cet homme dans
la suite de notre vie. Un radeau pour elle, et un
père pour moi. Avec une éducation simple, mais
souple, et beaucoup de discussions entre eux sur
ce qui était bon pour moi, ou pas. « *Apprends-lui le
discernement, pas la méfiance en tout* » était la phrase
qui revenait le plus souvent. Ma mère craignait
tellement qu'il m'arrive quelque chose.

J'ai poussé droit. La hauteur n'a pas beaucoup d'importance. Après tout, la vision peut être jolie, quel que soit le niveau de l'échelle sur lequel on se trouve. Tout dépend ce qu'on regarde. Du premier barreau, on peut quand même regarder le ciel en levant la tête.

J'ai surtout vu ma mère se détendre dans la vie à compter de ce jour. Les suivants, elle résistait pour la forme, parce qu'elle voyait encore sa planche en bois flotter non loin d'elle. Elle a lâché quand même. Elle s'est éloignée, c'était très courageux de sa part.

La résistance a opéré quelques semaines, elle ne voulait pas passer pour une femme facile, mais je voyais bien qu'elle souriait en refermant la porte après qu'il soit venu déposer un bouquet (et une viennoiserie pour moi), ou quand son répondeur clignotait d'un message nouveau.

Durant nos balades, lui et moi, dans Paris, qu'il m'a fait découvrir longuement, ma mère prenait du temps pour elle, ce qu'elle n'avait quasiment jamais fait depuis sept ans.

Et puis, il avait cette sagesse qui lui permettait de tout relativiser, pour ne gérer comme grave que ce qui l'était vraiment, de mettre le futile au premier plan quand il était doux de s'attarder sur les petits plaisirs. Le travail était titanesque avec ma mère, qui semblait trouver que tout était grave et qui ne donnait jamais aux choses futiles le mérite pour que l'on s'y attarde. Mais, persévérant et magnanime, il a fini par la contaminer de cette sagesse-là.

Il a aussi su prendre soin d'elle. Certainement le plus important. Ne plus se sentir seule pour faire face. Seule tout court. Apprendre à nager, même en eaux vives, puis apprendre à lâcher la main de son fils pour qu'il nage seul, même sans aller haut, tant qu'il y allait droit. Et puis, même sans aller droit, tant qu'il y allait tout court.

Grâce à un morceau de pain donc et aux hasards de la vie.

Si ce jour-là je n'avais pas eu le ventre creux au point d'en pleurer devant la boucherie parce que le réveil n'avait pas sonné, et si cet homme ne s'était pas arrêté, préférant passer son chemin en silence pour éviter de se tartiner de la peine humaine sur le cœur, et si nous ne l'avions pas croisé ensuite le soir même, et si, et si, et si... ma vie serait autre, évidemment, peut-être mieux, peut-être moins bien. Mais dans celle-ci, le pain a une saveur toute particulière. Cet homme aussi. Et c'est lui qui a tartiné une bonne couche de générosité sur mon cœur à moi.

Depuis, il m'arrive souvent de repenser à cette première rencontre quand, dans la vie, j'ai quelque chose qu'un autre n'a pas et que je réfléchis à la façon dont je pourrais partager pour qu'il arrête de pleurer, au propre ou au figuré.

Ce matin, je suis parti faire mon footing sans manger. C'est ridicule, mais quand je suis contrarié, je ne réfléchis à rien d'autre qu'à la raison de ma contrariété, et la solution ultime pour l'oublier. Courir. Vite, longtemps, à ne réfléchir qu'à ma respiration et à la longueur de mes foulées. Très efficace. Mais mieux vaut lester l'estomac de quelques calories.

J'avais ce spleen du trentenaire qui voit ses amis s'installer dans une vie familiale et parentale avec beaucoup de bonheur, et qui prend conscience qu'il n'a toujours pas trouvé l'âme sœur pour en faire de même. Les quelques expériences féminines passées s'étaient achevées de manière désastreuse, quand je prenais conscience que la personne avec qui j'essayais de partager un morceau de vie ne partageait pas grand-chose d'autre avec moi. Surtout pas les valeurs que mon enfance avait imprimées en moi. Elles étaient tellement profondes et ancrées qu'il m'était difficile d'en abandonner certaines par concession.

Au bout d'une heure de course, je me suis senti apaisé, vraiment apaisé. Tellement bien qu'un voile blanc m'est apparu. Ce n'était pas un voile, mais une étendue de coton, dans laquelle je suis tombé délicatement.

J'ai repris connaissance avec une douleur vive sur la joue et le visage d'une jeune femme dans mon champ de vision, qui redevenait net progressivement. Le coton m'appelait encore, mais une deuxième douleur vive sur l'autre joue a fini de me ramener à la réalité. Je ne comprenais pas comment une aussi jolie fille était capable de me frapper ainsi, et surtout, ce que je lui avais fait pour mériter ce traitement. Elle m'a alors aidé à redresser ma tête et à installer son gilet plié en quatre sous ma nuque.

— Ça va mieux ?

— Ça allait mal ?

— Plutôt, oui.

— Pourquoi ?

— Vous êtes tombé, en faisant votre footing. J'ai eu du mal à vous réveiller.

— J'ai mal aux joues.

— J'y suis peut-être allée un peu fort. Excusez-moi.

— Pourquoi je suis tombé ?

— Je ne sais pas. Vous avez mangé ce matin ?

— Je ne suis pas sûr.

— Alors ça doit être une hypoglycémie. Vu votre état, vous devez courir depuis un moment.

J'ai alors pris conscience de l'image corporelle que j'étais en train d'offrir à la femme qui me tenait la main. J'ai instantanément ressenti le besoin de disparaître sous le gravier, ou de me lever et partir en courant, mais je n'avais aucune force capable de relever ce défi. Je me suis revu plus de vingt ans en arrière quand l'homme au pain s'est arrêté sur ce banc, dégoulinant de sueur et dégageant une odeur âcre. Et pourtant, on connaît la suite...

Mais quand même.

— Vous habitez loin ?

— Non, à deux rues d'ici.

— Vous arrivez à vous lever ?

— Ça tourne, je crois.

Je ne savais pas si mes vertiges étaient la consé-quence de l'hypoglycémie, de l'incommensurable gêne liée au physique que j'offrais au regard de la demoiselle, ou à ses yeux tout court.

Peut-être les trois.

Sûrement.

Et puis, elle a effleuré mes genoux, pour voir si les plaies sanguinolentes étaient profondes.

— Vous saignez un peu, je crois que ce n'est pas bien grave.

— J'aimerais pouvoir me lever, mais je n'ai aucune énergie.

— Vous êtes diabétique pour faire un malaise pareil ?

— Non. Mais je me souviens maintenant être parti le ventre vide.

— Ça n'est pas un peu idiot ?

— Si. Mais j'étais contrarié.

— Et alors ?

— Et alors rien. C'est idiot. Excusez-moi pour la gêne occasionnée. Je crois aussi que votre gilet n'en sortira pas indemne.

— Vous êtes allongé sur les graviers d'une allée du parc Monceau, à 8 heures un dimanche matin, après un malaise, et vous pensez à mon gilet ?

— Je me sens bête, et vulnérable. J'essaie de compenser avec un peu de politesse.

— C'est un gilet à toute épreuve. Et même s'il ne s'en remet pas, il n'a pas beaucoup d'importance.

— Vous voudriez dîner avec moi ce soir ?

— Vous ne perdez pas le nord.

— Si justement, ma boussole tourne dans tous les sens.

— Alors, stabilisez-la et on en reparle. Vous êtes peut-être dans un état second au point de ne pas vous rendre compte de ce que vous dites.

— Ah.

— Qui sait ?

— Vous croyez ?

— Non. Mais je ne vais pas dire « oui » du premier coup ! J'ai des principes, moi, Monsieur, a-t-elle ajouté en souriant, avec une pointe d'ironie.

— Alors c'est d'accord pour dîner ?

Je l'ai vue rapprocher son sac abandonné derrière elle, et sortir de celui-ci une baguette de pain, casser un gros morceau, et me le tendre en souriant.

— Je crois qu'il vous faut d'abord quelques forces pour vous relever. Si vous y arrivez, ce sera oui pour dîner.

Je l'ai saisi, j'ai croqué dedans en fermant les yeux, j'ai savouré le goût subtil du partage qu'il dégageait, rassemblé mes souvenirs d'enfance, revu dans ses moindres détails la scène devant la boucherie et ce regard bleu foncé qui me tendait la main ce jour-là. J'ai compris que le destin œuvrait une génération après, et qu'une douce alchimie flottait dans l'air environnant. J'ai réalisé qu'ainsi allongé sur les graviers, j'étais tout en bas de l'échelle, mais que je regardais vers le ciel, et j'ai eu envie qu'elle soit la femme de ma vie.

Pour un petit morceau de pain.

Gilles LEGARDINIER

Mange le dessert d'abord

Bonjour, je m'appelle Gilles et je vais vous raconter une histoire. Rien d'original, allez-vous penser, puisque c'est un peu mon métier. Pourtant, là, c'est différent, parce que cette histoire est vraie.

Dès que l'on m'a proposé de participer à ce projet de recueil, j'ai tout de suite accepté, d'abord parce que les Restos du Cœur sont une noble cause, mais aussi parce que les repas constituent quelques-uns des moments les plus particuliers qui soient.

Aucune autre espèce sur cette planète ne donne autant d'importance à cette nécessité vitale qu'est le repas. De tout temps, sous toutes les latitudes, nous avons élaboré des recettes, des mises en scène et des codes autour de ces instants qui rythment nos vies. Quelle que soit la civilisation ou l'époque, le rituel social et affectif nous en fait presque oublier leur fonction première.

Pas d'événement majeur sans festin, mais pas de festin sans convives... Chacun de nous sait que même les mets les plus fins ont moins de saveur si on les déguste seul.

Je vais vous avouer quelque chose. Au début de ma carrière dans le cinéma, pendant mes déplacements entre les tournages, il m'arrivait souvent de me retrouver seul au restaurant, un peu partout dans le monde. Je n'ai jamais aimé manger en solitaire, et l'habitude des cantines de plateau m'a appris que l'on peut toujours trouver quelques mots sincères à partager avec de parfaits inconnus. Alors j'osais faire ce qui rendait ma mère folle : j'allais vers d'autres personnes seules et, en leur expliquant simplement pourquoi je venais à elles, je leur proposais de déjeuner ou de dîner ensemble. Rien de plus, rien de moins.

Je l'ai surtout fait avec des hommes, parce que vis-à-vis des femmes – après m'être ridiculisé deux fois, je me suis rendu compte que ma démarche était perçue comme une grossière tentative de drague ! Dans le restaurant routier de Battle Mountain qui se trouve sur la route entre Reno et Salt Lake City, une tablée d'ouvriers m'a même glissé avec des clins d'œil pleins de sous-entendus que la serveuse était beaucoup moins farouche que la jeune femme qui venait de m'éconduire... Je me suis donc ensuite adressé exclusivement à des hommes, en espérant qu'il y aurait moins d'ambiguïté !

J'ai dû le faire une bonne quinzaine de fois et je n'ai essuyé qu'un seul refus, poli. Dans tous les autres cas, ce fut magique.

Vous vous asseyez face à quelqu'un dont vous ne savez rien et qu'un hasard géographique a placé sur votre chemin. En commençant par évoquer la situation du moment et la façon dont elle est vécue, vous vous placez immédiatement sur un plan aussi personnel qu'universel. Ces tête-à-tête impromptus m'ont enseigné que la solitude n'est pas forcément une malédiction, parce qu'elle constitue le meilleur premier pas vers la découverte.

Je n'ai jamais su pour qui votaient ces compagnons

de gamelle. J'ignore combien ils gagnaient. Nous n'avons finalement pas beaucoup joué le jeu de la sociabilité, mais par contre, je sais ce qu'ils ressentaient loin des leurs, ce qu'ils éprouvaient dans leur vie, suivant leur âge, dans des métiers aussi surprenants que variés – VRP bien sûr, mais aussi grutier, militaire, enseignant, pasteur, contrôleur administratif... Grâce à eux, j'ai eu la chance de vivre des rencontres exceptionnelles. Sans doute parce que nous n'allions jamais nous revoir, parce que nos repas partagés ne représentaient aucun autre enjeu que celui de vivre le moment présent, nous nous sommes parlé réellement, sincèrement, librement. On a vraiment discuté de tout, de nos rêves de gosses, de bagnoles, des parents, des doutes que l'on traverse tous, des regrets, des cadeaux que l'on offre. Impossible de résumer. Tout ça autour d'un steak-frites souvent trop cuit dans des restaurants paumés. La vie est partout.

On pourrait évoquer les grands repas qui émaillent l'histoire, du *Banquet* de Platon aux déjeuners officiels, de la Cène aux fastueux dîners de gala, mais je crois que nos dîners d'amoureux, barbecues entre copains, repas de mariage, de fêtes carillonnées, ou chaque célébration familiale, comptent beaucoup plus. Si vous y réfléchissez, je suis certain que dans votre vie, bon nombre de vos grands moments, de vos souvenirs les plus chaleureux, sont associés à une table et à ceux qui étaient réunis autour. Nous partageons alors bien plus que des plats.

Je trouve magnifique que les Restos du Cœur aient été créés sans autre but que d'aider les autres, sous l'impulsion d'un homme exceptionnel qui pratiquait l'humour parce qu'il connaissait le poids des douleurs. Je trouve fantastique que son élan perdure grâce à ces innombrables volontés, ces multiples solidarités. Il serait sans doute préférable que les Restos aient disparu parce que devenus inutiles, mais ils sont plus que jamais une nécessité. Alors aidons-les.

En achetant ce recueil, je vous soupçonne d'avoir voulu trouver un peu plus que des nouvelles inédites d'auteurs que vous appréciez. Je parie que l'esprit des Restos ne vous est pas étranger. Par respect pour la mission de ces gens dont nous avons tous besoin, face à la réalité qu'ils affrontent, je ne me suis pas senti capable d'écrire quelque chose qui ne serait qu'une fiction. Alors je vous propose autre chose : avec vous, j'ai envie de partager deux souvenirs très personnels qui, autour de repas, ont contribué à façonner la vision que j'ai de la vie. J'espère qu'ils trouveront un écho en vous.

Le premier se déroule en janvier 1996. Je viens d'avoir trente ans. Tout est en train de basculer professionnellement et comme souvent, quand ça commence, tout y passe. La dernière semaine de janvier arrive et je ne le sais pas encore, mais elle va peser lourd et changer ma vie à jamais.

Le lundi, des partenaires avec qui j'ai longtemps travaillé aux États-Unis me menacent et m'intimident. C'est une rupture violente. La fin d'une époque fondatrice pour moi.

Le mardi, j'apprends que mon premier roman va enfin être publié après des années de vaines tentatives. Je vais peut-être avoir la chance de vous rencontrer à travers mes histoires.

Le mercredi, ma femme, Pascale, et moi recevons le permis de construire pour la maison que nous habitons toujours aujourd'hui.

Le lendemain, ma moitié m'annonce qu'elle est

enceinte de notre premier enfant. À ce stade, je ne sais même plus si je dois rire, pleurer, ou pousser des hurlements au fond des bois. Tout est authentique.

Le vendredi soir, chez mes parents, nous nous retrouvons pour fêter les plans désormais autorisés de notre future maison. Maman a préparé ce qu'elle pouvait de mieux à la dernière minute. Elle déteste les repas bricolés à la va-vite. Ce n'est pas « convenable ». Pascale et moi nous demandons à quel moment annoncer la nouvelle de la grossesse... Nous décidons de différer de quelques jours, pour profiter pleinement de ce qu'il y a déjà à célébrer ce soir-là.

Comme d'habitude en semaine, ma mère a mis la table dans la cuisine et comme d'habitude, joyeusement, mon père fait valser tous ses plans. Lui et moi sommes installés dans la salle à manger, penchés sur les croquis étalés sur la grande table. Il est heureux que son gamin fasse bâtir son propre logement et devienne un peu plus un homme. Il est aussi content car nous n'habiterons pas loin. Je ne réalise pas encore dans quelle galère je m'engage avec ce projet ! Il me donne des conseils que j'écoute, me parle de prises de courant, de plancher béton, du sens d'ouverture des fenêtres, de l'étanchéité de la cave, du diamètre des tuyaux... Les dames dînent à la cuisine, maman râle. Je prends des notes sur ce que me conseille papa. Le moment est particulier. La semaine a été lourde. Je n'ai pas voulu leur parler de mes problèmes professionnels pour ne pas les inquiéter. Je suis un peu décalé face à la joie de mon père parce qu'étant donné tout ce qui arrive par ailleurs et qu'il ignore, j'éprouve beaucoup de sentiments contradictoires.

On mange debout, on ne sait même pas quoi tellement on est concentrés sur les plans. Il est heureux de me transmettre tout ce que ses différents métiers lui ont appris et qui va me devenir très utile. Mon père a passé sa vie à construire des machines, des demeures et des hommes. Je suis l'une de ses réalisations et ce soir-là, comme souvent, si une partie de mon cerveau est avec lui, l'autre nous observe. Papa me parle, m'explique. De tout son être, il cherche à m'aider. Je suis heureux de vivre ça avec lui, presque plus que d'avoir ma propre maison. Il s'affaire autour de la table et, avec ses gestes précis, me désigne des détails importants. Il m'invite à m'approcher au plus près de lui pour que je puisse mieux voir. De temps en temps, nous reprenons une bouchée de nos sandwichs improvisés. Chaque fois qu'il fait tomber une miette sur les documents, il la ramasse consciencieusement, en bon ingénieur qui ne supporte pas de souiller ses documents de travail. Parfois, Pascale vient nous voir et, constatant que nous sommes lancés dans des sujets très techniques, repart vers la cuisine en riant, pendant que maman se lamente toujours sur le fait que nous ne sommes pas à table.

J'ai apprécié ce moment, parce qu'il était fort et que j'ai toujours été sensible à ce qui rend la vie plus dense. J'en ai goûté chaque instant, et je m'en souviens parfaitement. J'aimais voir mon père me conseiller, me pousser, m'avertir, m'épauler. Je ne le savais pas, mais c'était la dernière fois que nous dînions ensemble.

Nous étions vendredi, et une crise cardiaque l'a terrassé le dimanche. J'en veux encore à Dieu. Mon père me manque, chaque jour. Il n'a pas vu la maison que j'ai bâtie grâce à lui. Il n'a jamais rencontré ses petits-enfants. Il n'a pas pu franchir le seuil de ce foyer où beaucoup de détails sont associés à sa voix, à ses conseils. Ce repas-là est un magnifique souvenir, qui m'a appris à profiter avec une intensité particulière de tous ceux qui ont suivi dans ma vie. Faites attention à ceux avec qui vous mangez.

Le second repas dont je souhaite vous parler se déroule alors que j'ai à peine vingt ans. Je suis pyrotechnicien, et je passe mon temps à faire brûler ou exploser des choses pour des films. Lors d'un tournage aux studios de Pinewood en Angleterre, un accident a eu lieu et un père de famille y a laissé la vie. À cette époque pas très éloignée, le sens social des entreprises est encore développé et la direction prend soin de ceux qui souffrent au-delà du cadre légal. Je ne connais pas la victime et je ne participe pas au tournage sur lequel s'est déroulé le drame. Je n'ai vu qu'une photo et une fiche administrative interne : 38 ans, marié, trois enfants dont deux en bas âge.

Mon collègue Andrew et moi sommes désignés pour aller représenter la société aux obsèques. Concrètement, pour nous, bien que nous trouvions évidemment la situation tragique, il s'agit d'abord d'une journée loin des plateaux. Pardonnez-moi d'être honnête mais, en prenant la route, nous vivons un peu cela comme une escapade forcée qui va ensuite nous obliger à bosser jour et nuit le reste de la semaine.

Nous voilà donc partis sur les routes de l'ouest de l'Angleterre, à travers la campagne, sous un temps très conforme à l'image que l'on se fait de la météo britannique. Andrew et moi nous connaissons bien, nous avons effectué notre cursus ensemble bien que dans des spécialités différentes. Nous n'avons pas l'habitude de porter des costumes-cravates. Nous sommes comme deux gamins endimanchés qui auraient emprunté la grosse voiture de leur père. Dès le départ, ce périple a quelque chose de surréaliste.

Et c'est ainsi que nous nous retrouvons un beau matin, dans le joli cimetière d'un adorable village anglais, pour une cérémonie à laquelle nous sommes complètement étrangers. Mais vous ne savez jamais quelles émotions la vie vous réserve.

La peine des proches, particulièrement celle de la veuve, me bouleverse. Seul l'aîné des trois enfants assiste avec sa mère à l'enterrement de son père. Ils sont cramponnés l'un à l'autre. Andrew et moi observons la célébration avec un recul étonnant – personne n'est jamais présent dans des moments aussi intimes en tant que simple visiteur. Nous ne connaissons aucun de ces gens qui pleurent une injustice du destin, et même si la compassion est là, nous vivons tout avec un décalage surprenant. Nous essayons d'adopter une attitude digne, « officielle », en nous tenant bien droits. Andrew a croisé ses mains devant lui, moi dans mon dos.

À présent, devant la fosse ouverte au fond de laquelle le cercueil a été placé, les membres de la famille défilent les uns après les autres. J'ignorais que cela se pratiquait aussi chez nos voisins d'outre-Manche. Chacun se recueille une dernière fois en jetant un peu de terre ou des pétales de fleurs. À chaque fois, une douleur perceptible s'exprime, une histoire personnelle dont nous ne savons rien se scelle. Je suis loin d'y être insensible.

Arrive le tour d'une petite dame assez âgée, coiffée d'un minuscule chapeau et d'une voilette d'un autre temps qui dissimule en partie son visage. Elle pourrait être la grand-mère du disparu, ou sa vieille tante. Très émue, elle s'avance devant le trou, sa petite main serrant les pétales colorés. Au moment de les jeter, inexplicablement, elle n'ouvre pas la main et se laisse emporter par son propre mouvement.

La petite dame bascule dans le trou, en poussant un cri. Sa chute soulève aussitôt une exclamation d'effroi dans l'assistance. Le bruit du choc de son corps contre le cercueil est épouvantable. J'imagine déjà le pire. Deux enterrements pour le prix d'un. L'horreur.

Comme toujours dans ce genre de circonstance, le temps se trouve brutalement suspendu et c'est un silence absolu qui succède à la surprise. Même les oiseaux se taisent, seul un vent léger souffle dans les feuilles des arbres alentour. Cette respiration retenue ne dure pas longtemps, mais elle semble infinie. Andrew et moi nous tenons en retrait et bénéficions d'une vision d'ensemble de la situation. Personne n'ose regarder dans la fosse. Soudain, dans le calme paisible de ce cimetière verdoyant, un râle monte. Puis, du fond du trou, c'est une petite main boueuse qui apparaît.

Vous avez vu *E.T.* ? Vous vous souvenez du moment où ce gentil extraterrestre tend son doigt lumineux en gémissant ? Et bien c'est exactement ça, la petite lumière en moins... La famille se précipite pour porter secours à la malheureuse, et la terreur fait place à un soulagement d'autant plus puissant. J'ai moi-même eu tellement peur et la situation me paraît tellement improbable que je sens le fou rire monter. Alors que nous avons quitté les studios le matin même, on pourrait se croire sur une scène de film. Mais seule la vie peut se permettre des extravagances de ce genre. Un scénariste se verrait reprocher de ne pas être assez réaliste. Et pourtant...

Je me tourne vers mon camarade, mais il n'est plus là. Je le cherche du regard et l'aperçois tout à coup qui court au loin, s'enfuyant dans l'allée du cimetière. Qu'est-ce qu'il fabrique ? Je reste seul et je vais prêter main-forte. La petite dame n'a que quelques bleus et des égratignures. Son chapeau ridicule est en biais. On la nettoie, on la soutient.

Lorsque Andrew réapparaît, il a noué son élégante gabardine Burberry sur ses hanches, comme les enfants qui ne savent pas quoi faire de leur blouson.

— Qu'est-ce qui t'a pris ? Pourquoi es-tu parti précipitamment ?

— Il le fallait.

— Et pourquoi cet accoutrement ?

Il écarte sa gabardine et me montre son entrejambe.

— Tu préfères que j'aille présenter mes condoléances comme ça ?

Andrew s'est pissé dessus. Son pantalon est trempé et ça se voit. Il oscille d'ailleurs toujours entre le fou rire et la gêne. D'un geste de la main, il me mime le plongeon historique de la vieille dame et nous partons à rire. Pourtant, on ne peut pas. Alors on se contient, et du coup, on a encore plus envie de se marrer. Il suffit que l'un des deux murmure « Et hop ! » ou « À trois, je saute... » et nous repartons de plus belle.

Pour nous, le début des ennuis, donc. La cérémonie a repris. Le moment que nous redoutions déjà avant l'incident approche inéluctablement. Maintenant, il nous terrifie. Nous allons devoir passer devant les principaux membres de la famille et présenter nos « sincères condoléances ». Il nous faut trouver les mots, affronter les regards. Le pire, c'est que la petite dame qui est tombée dans le trou fait partie de ceux que nous devons saluer. On essaie de reprendre notre calme, mais ni Andrew ni moi n'y parvenons. Au mieux, un sourire stupide nous barre le visage, au pire, on s'étouffe de rire. C'est atroce. Je vais avoir beaucoup de mal à tenir. Je connais mes limites. J'ai beau retourner le problème dans tous les sens, je ne vois pas comment je vais m'en sortir sans frôler l'incident diplomatique. Je me vois déjà, alors que je suis en mission officielle protocolaire, lui exploser à la tête parce que jamais je ne pourrai oublier ni le cri ridicule qu'elle a poussé en basculant, ni son vol plané avec ses petites jambes qui gigotent. J'ai honte, mais je n'y peux rien. Je suis le jouet des circonstances, et elles n'ont pas fini de s'amuser avec moi...

Comme des condamnés qui attendent leur tour, nous assistons au défilé de ceux qui présentent leurs respects à la famille. Nous vivons un compte à rebours épouvantable. On va y passer. Plus rien ne pourra nous sauver. Nous allons être mignons, Andrew avec son froc mouillé et moi au bord du fou rire. Mon complice pourra difficilement dire que ce sont les larmes de chagrin qui l'ont trempé à cet endroit-là. Personne ne pleure à ce point sur sa braguette. Pour ma part, il me faut en plus affronter un handicap de taille : je ne possède pas bien mon texte. Je me répète en boucle les mots que je dois prononcer en travaillant mon vilain accent français, mais rien n'y fait. De toute façon, je n'ai plus le temps de m'entraîner, notre tour arrive.

Pression supplémentaire : comme nous passons les derniers, tous les autres auront le loisir de nous voir à l'œuvre. Pour vous donner une idée de l'état dans lequel je suis à cet instant-là, je le comparerais à ce que l'on éprouve juste avant de sauter à l'élastique. On se demande ce qu'on fait là et on espère que tout va tenir parce que sinon, on ne s'en sortira pas.

Avant d'arriver jusqu'à la petite dame, je dois d'abord parler à trois personnes. Je la surveille du coin de l'œil. Malgré son accident, elle fait preuve d'une dignité exemplaire. Je dis quelques mots à une première femme, puis j'avance d'un cran. Je me présente à une autre proche devant qui je bafouille. Je progresse encore d'un cran. J'arrive devant un monsieur qui a les yeux aussi rouges qu'un lapin myxomatosé parce qu'il a beaucoup pleuré. Le sort est contre moi. Je sens bien que je me fissure à l'intérieur… Je ne sais même pas ce que je lui dis.

Et soudain, me voici à l'instant tant redouté : je me retrouve devant E.T. C'est pire que tout ce que j'avais imaginé. En plus, personne n'a osé lui redresser son petit chapeau. Elle porte encore des traces de terre sur son doux visage. Son regard me touche. Je ne vais pas avoir la force de me contenir – trop d'émotions. Face à elle, je vais éclater de rire en pleurant. Ça monte, ça vient, c'est là. Alors foutu pour foutu, je la prends dans mes bras, et je lui éclate de rire dans le cou. Elle doit penser que je sanglote et elle me prend aussi dans ses bras. C'est effroyable. Elle qui souffre tant trouve encore le moyen de faire preuve de chaleur envers moi. C'est sans doute l'une des sensations les plus puissantes qu'il m'ait été donné de ressentir. Un mélange d'extrême compassion et une pulsion de rire absolu face à la situation. On finit par se séparer. Elle a été touchée de mon élan. Point positif : après cette épreuve, parler à la veuve s'avère bien plus simple et nous remplissons finalement notre mission sans trop démériter. Beaucoup de gens regardent quand même étrangement la gabardine nouée d'Andrew...

La cérémonie est suivie d'un repas. Seuls les proches sont restés autour de la veuve et de ses enfants désormais tous présents. Parce que nous venons de loin et parce que ces gens adorables sont sensibles à notre présence, ils ont insisté pour que l'on reste. Alors que nous ne sommes que deux étrangers, nous n'avons pas été relégués en bout de table mais placés presque au centre. Je n'oublierai jamais ce repas.

Sans doute à cause de la puissance des émotions vécues et partagées dans la matinée, il m'a marqué comme peu d'autres. Il m'a changé. Nous nous sommes retrouvés plongés au cœur d'une famille, dans l'un des temps forts de son histoire.

Je ne connais personne. Je les observe. J'évite de croiser le regard d'Andrew parce que sinon, lui et moi savons que nous allons repartir dans un fou rire. La petite dame est assise quasiment en face de moi... Très vite, la solennité et la tristesse font place à une chaleur certaine. On finit par ne voir que des humains qui s'aiment, rassemblés autour d'une table. Ma situation au sein du groupe me donne assez de détachement pour étudier et apprendre. Je ne connais ni les degrés de parenté, ni même leur prénom. Ils ne sont tous que des humanités réunies par la peine.

Ils parlent du défunt, évoquent ses traits de caractère, des souvenirs, mais sans regrets. On pourrait même croire qu'il s'est absenté quelques instants et qu'il va revenir. Le temps d'un repas, ils en oublient presque leur chagrin, parce qu'ils sont réunis. Chacun s'appuie sur les autres pour surmonter l'épreuve. Pendant cette parenthèse, ils y parviennent ensemble. La peine et la douleur reviendront plus tard, mais pour le moment, elles ne sont pas conviées au déjeuner. La famille n'est pas bien grande mais certains ne se sont pas vus depuis longtemps. J'aperçois les gestes, les regards. Les mains qui s'effleurent, les bras qui enlacent, l'affection, ceux qui se penchent pour parler à celui d'en face avec une bienveillance complice. Beaucoup de sourires, quelques rires. Ne connaissant personne, j'observe tous ces signes, ces gestes, de façon quasi clinique. J'ai le temps de les analyser, de les apprécier, sans être influencé parce que je connaîtrais ceux qui les accomplissent. Je trouve ces gens touchants. Ils me rappellent ma famille. Celui qui n'est plus là serait heureux de les voir réunis ainsi en son nom. Même si l'esprit de notre espèce se manifeste ici de façon plus aiguë en raison des circonstances, j'apprends ce jour-là à le ressentir dans tous les repas, aussi anodins soient-ils. Mais existe-t-il des repas anodins ? Ceux qui ont faim savent que non. Le déjeuner n'a duré qu'une petite heure mais il m'a donné à ressentir pour des années. Aujourd'hui encore, plus de vingt ans après, j'y pense régulièrement.

Une phrase m'a particulièrement marqué. Le père du disparu était assis un peu plus loin à ma droite, et face à lui se trouvait une petite fille qui se plaignait de ne pas aimer le plat principal. Il lui a demandé :

— Qu'est-ce que tu aimes ?

Sans hésiter, elle a répondu :
— Les desserts !

L'homme a alors appelé le serveur et demandé s'il pouvait apporter tout de suite le dessert de la petite, avec sa part en plus pour qu'elle en ait davantage. L'enfant était à la fois surprise que ce soit possible et heureuse de ne manger que ce qu'elle aimait.

L'homme s'est penché vers elle et lui a glissé :
— On ne sait jamais ce que la vie nous réserve. Ne perds pas de temps. Si c'est ce que tu préfères, mange le dessert d'abord.

Vous savez ce qu'il vous reste à faire.

Je vous souhaite le meilleur.

Chaleureusement,

Pierre LEMAITRE

Une initiative

Ce fut un instant d'euphorie soudaine, comme il nous en arrive à tous, où l'on dit : « Laissez, c'est moi qui paie... » ou : « Tu veux qu'on se marie ? », des phrases dont on ne mesure pas les conséquences.

C'était au téléphone avec sa nièce. Il faisait un temps superbe, un ciel d'un bleu de carte postale. Et malgré ses 81 ans (personne n'y croyait, il en souriait parfois, quoi, 81 ans ? vous ne les faites vraiment pas !), il se sentait étonnamment léger. Il dit, d'un ton de tranquille évidence : « Vous n'avez qu'à rester dîner ! »

— Mais, mon oncle... On est six !

Il se mit à rire. Ce qui l'amusait, ce n'était pas tant le chiffre que cette manière effarouchée que prenait sa petite-nièce. Elle était jolie comme un cœur, mais il l'avait toujours trouvée un peu bécasse.

— Eh bien, six..., répondit-il en s'esclaffant, la belle affaire !

On apporte quoi ? Rien. Ah si, mon oncle, au moins le fromage, les desserts, le vin, ça lui tapait sur le système :

— C'est une invitation, Marilyn, pas une négociation !

Il baissa les bras sur la question du vin, par lassitude. On n'allait pas se fâcher, sinon ça n'était pas la peine d'inviter.

Il raccrocha et regarda un moment, de l'autre côté du boulevard, les arbres immobiles du parc. Nous étions en mai, le mois des ponts. Paris se vidait, se remplissait, se vidait de nouveau, lui restait sur place et il en ressentait une agréable impression de supériorité. Il s'accouda à la fenêtre, ferma les yeux un court instant et laissa le soleil lui chauffer les joues. Il était content de son initiative, elle donnait de lui une image... Il chercha le mot. Ouverte. C'était cela, il était un homme *ouvert*, capable de saisir une occasion à la volée. Il se frotta les mains. Il fallait s'organiser parce qu'il avait perdu l'habitude de recevoir. Auparavant, les invitations, c'était plutôt deux fois qu'une (Thérèse était une admirable cuisinière, intuitive, il pouvait y avoir dix personnes à table, rien ne lui faisait peur), mais depuis qu'il était veuf, huit ans maintenant, il n'avait plus guère lancé d'invitation. Et six personnes à faire manger, ça n'était pas une petite affaire. D'autant qu'il voulait que ce soit bien. Très bien même.

Il chercha le livre de recettes acheté à la mort de Thérèse et le retrouva, intact. Il ne l'avait quasiment pas ouvert parce qu'il avait rapidement pris ses habitudes, en bas, chez Renée. Le livre s'intitulait *Cuisine facile*. Le titre le vexa. Toute sa vie, Thérèse lui avait préparé des plats simples mais raffinés, il avait quasiment tout vu, les filets d'agneau en papillote au romarin, les cassolettes de langoustines, alors il n'avait pas besoin que ce soit « facile » ! Il feuilleta l'index, passa sur les basiques (endives au jambon, langue de bœuf) ; puisqu'il se lançait, autant faire preuve d'ambition. Il parcourait les recettes de cœur de veau braisé aux carottes, de rognons à la berrichonne, lorsqu'il s'avisa qu'un repas comme celui-là, ce n'était pas seulement un plat principal, il fallait aussi penser aux entrées. Il reprit l'index : crêpes périgourdines, gratin de fruits de mer... Bon Dieu, et le plateau de fromages ! Très important, le fromage, quand on reçoit. Comme l'apéritif, des petits fours salés, ce genre de choses... Il avait besoin de méthode. Il attrapa une feuille, un stylo, prit quelques notes et décida de composer le menu, après quoi il compléterait sa liste avec les ingrédients nécessaires. À mesure qu'il avançait dans sa recherche, il sentait monter un agacement. Dans ces livres de cuisine, il y a toujours trop de choix, on ne sait plus ce qu'il faut faire. *Grenadin de veau : piquer de lard gras les grenadins, mettre dans un plat à rôtir du b...*

Il leva soudain la tête. Tout se trouvait en bas, casseroles, plats, cocottes, tous les ustensiles ! Comme il n'en avait plus l'usage, il avait tout descendu, huit ans plus tôt. C'était une cave assez petite et saturée, on ne pouvait quasiment plus entrer, des années qu'il se promettait d'y faire du rangement... Où était passée cette clé ? Elle n'était pas à l'endroit habituel, il fouilla les tiroirs de la cuisine, du salon. Le bruit du boulevard l'empêchait de réfléchir, il referma rageusement la fenêtre, revint aux trousseaux. Qu'il était bête ! Il cherchait une grosse clé alors qu'en fait, c'était un simple verrou et donc une clé plate, jaune s'il se souvenait bien. Il y en avait plusieurs. Il crut reconnaître celle dont il avait besoin, mais elle semblait davantage convenir à un cadenas... Une vague inquiétude monta en lui qu'il chassa rapidement : il était normal d'oublier la forme d'une clé qu'on n'avait pas utilisée depuis près de huit ans ! La solution était de les descendre toutes et de les essayer une à une, voilà tout.

Sur place, que devrait-il remonter ? De quoi aurait-il besoin : faitout, cocotte, plats ? Cela dépendait de ce qu'il cuisinerait. Il retourna aux recettes et changea son fusil d'épaule pour s'intéresser au carré de porc à la paysanne. *Mettre à rôtir un carré de porc, faire la cuisson de préférence dans un plat en terre avec un peu de beurre, à four chaud...* Son agacement grandissait : *un peu de beurre, four chaud,* c'était vague, comme instructions. Pas assez de beurre ou un four trop chaud, tout pouvait être raté. L'idéal, pour être certain de réussir, ç'aurait été une répétition. Mais allait-il faire un carré de porc pour lui seul ou un grenadin de veau ? Et le dessert ! pensa-t-il soudain. Il ferait une tarte au citron, c'était simple et ça plaisait toujours. Quoiqu'il y eût les enfants, avec les enfants, le citron... Quelque chose au chocolat plutôt. Donc, s'il mettait le fromage de côté (penser à retrouver le plateau, il devait être dans le buffet, tout en bas), il fallait une entrée, une viande et un dessert. Le problème, se dit-il, avec la cuisine, ce n'est pas de réussir les plats, il suffit de suivre la recette, rien de bien compliqué, non, le difficile, c'est la coordination. Le mieux, ce serait une entrée froide afin qu'il puisse se concentrer sur le plat principal qui, lui, devait arriver chaud dans les assiettes... Les assiettes ! Il fallait vraiment avoir l'œil à tout.

Il se leva, ouvrit la double porte du buffet et s'agenouilla. Il avait sous les yeux cinquante-deux années de mariage, de repas de famille, de dîners d'anniversaire, de réveillons. Il en ressentit de la tristesse. Il entrouvrit légèrement le coffret de velours rouge contenant la ménagère dont il ne manquait pas une pièce, toucha du bout des doigts le bord des assiettes empilées dont, quoiqu'il ne l'ait jamais dit à quiconque, il n'avait jamais aimé ni le motif de fleurs roses et violettes, ni cette bannière entrelacée de minuscules roses pompon. S'imaginer aujourd'hui dresser une table avec cette vaisselle d'autrefois lui procurait une impression pénible. Il avait le cœur lourd. Ses pensées le ramenaient à Thérèse. Il l'avait sincèrement pleurée, mais, secrètement, il avait toujours espéré qu'elle parte la première. Non par égoïsme, il l'avait aimée, mais parce que Thérèse était une femme très dépendante, elle ne savait pas seulement faire un chèque ; veuve, que serait-elle devenue ? Tandis que lui était un homme pratique, capable de s'organiser. Les verres en cristal coloré étaient sagement alignés, tout comme les tasses. Tiens, justement, le café. Lui n'en prenait jamais, mais les invités ? Proposer du café soluble était impensable… Alors, quoi, allait-il devoir acheter une cafetière pour un seul repas ? Noter aussi de régler cette question.

Lorsqu'il se releva, il entendit distinctement ses genoux craquer.

Bon, se dit-il, à chaque jour suffit sa peine, on verra ça demain, à tête reposée. Somme toute, on avait bien le temps.

D'habitude, il ne dînait quasiment jamais, se contentait d'une tisane, de quelques biscuits secs.

Ce soir-là, il n'y pensa même pas. Il se coucha de bonne heure, mais ne trouva pas le repos, son esprit restait préoccupé. C'était, pour partie, le spectacle étonnamment triste de cette vaisselle qui n'avait pas servi depuis une décennie, mais aussi la circonstance car enfin, pour qui se donnait-il tant de mal ? Marylin était une idiote et ce n'était rien à côté de son mari. Il l'avait rencontré deux ou trois fois, un homme massif, content de soi, hâbleur, d'une conversation insipide. Et qui portait les cheveux en arrière (instinctivement, il se méfiait des types qui ont les cheveux en arrière). Quand aux beaux-parents de Marylin, il les avait croisés autrefois, mais aucun souvenir d'eux, comme s'ils avaient été transparents. Et les enfants. Tout ce monde méritait-il qu'il se lance dans une cuisine ambitieuse, un projet si envahissant ? Cela justifiait-il de mettre les petits plats dans... Et les nappes, les serviettes ? Où avait-il rangé tout cela ? À la cave avec le reste ? Il pensa se relever pour le noter, mais il était fatigué. Ce repas... Tout cela était un peu plus compliqué qu'il l'avait imaginé. Il faut de l'ordre, se répéta-t-il, de la méthode, prendre des dispositions... Il s'endormit tard, soucieux.

La première chose qu'il vit le lendemain matin, ce fut le livre de recettes, posé sur la table. Il ne se souvenait pas de ses rêves, mais son sommeil avait été agité. Il ressentait une petite boule à l'estomac sans distinguer ce qui le mettait mal à l'aise, son initiative, le repas, les invités ou son propre embarras. En sirotant son thé au lait, il feuilleta de nouveau la *Cuisine facile*, ses yeux passèrent sur les coquilles Saint-Jacques au gratin, l'épaule de mouton boulangère... Le cœur n'y était pas. En même temps, penser à la cuisine à 8 heures du matin... Il s'en fit la remarque : même s'il était possible de préparer pas mal de choses la veille, le jour du repas, il faudrait bien s'y mettre de bonne heure.

Des listes entamées (plat principal, apéritif, entrées, ustensiles...), aucune n'était achevée et se remettre au travail réclamait une énergie qu'il n'avait pas. Il s'en rendait mieux compte ce matin, il s'était laissé emporter par un bel enthousiasme, mais tout cela était démesuré par rapport à la circonstance. Cette pensée lui fit un bien immense. Il repoussa le livre de cuisine, ses listes incomplètes. Il allait acheter des choses toutes prêtes, mais de bonne qualité, voilà tout. D'ailleurs ni sa nièce ni sa famille ne s'imaginait qu'un dîner chez lui serait comme chez Taillevent. Dans la salle de bains, il se tint les reins, se promit une sieste d'après-midi ce qui n'était pas dans ses habitudes (pour les vacances d'accord, pas pour la vie ordinaire), mais une fois de temps en temps, on ne peut quand même pas considérer cela comme une défaite.

En milieu de matinée, il entra dans le supermarché du boulevard.

Déjeunant chaque jour chez Renée, il n'achetait guère ici que son thé, des produits ménagers, et le magasin lui apparut soudain très différent, comme un lieu qu'il découvrirait au lendemain d'un déménagement. Il emprunta des allées qu'il ne fréquentait jamais et mit un temps fou pour trouver le rayon des plats préparés. Barquettes de carottes râpées, surimi, tranches de pâté en croûte sous plastique, il comprit immédiatement qu'il faisait fausse route, ces choses-là s'adressaient aux gens qui travaillaient tard, n'avaient pas le loisir de cuisiner, ou aux célibataires capables d'avaler n'importe quoi, ce n'étaient pas des produits destinés à un repas de famille. Il se rendit aux rayons charcuterie, boucherie, poissonnerie, ses yeux passaient sur les viandes rouges, les blanches, les poissons entiers, les filets, il n'avait pas la moindre idée de ce qu'il pourrait acheter. Le livre de cuisine, se dit-il, lui avait davantage brouillé qu'éclairci l'esprit ! Un employé portant un bonnet en papier rose, comme à l'hôpital, lui demanda ce qu'il désirait. Il ne savait pas et s'excusa, les mains ouvertes, à la manière de ces hommes qui passent devant les prostituées et font mine d'être pressés, d'être là par accident.

À l'heure du déjeuner, il n'eut pas envie d'aller chez Renée. Il grignota, debout devant le réfrigérateur. La sieste fut surprenante. Il s'enfonça dans le sommeil comme dans un coma, jusqu'à une profondeur dont il connaissait à peine l'existence. Il se releva fourbu, la tête cotonneuse, habité par un sentiment obscur de déréalité, une sorte de gueule de bois. Il s'ébroua, se fit du thé. Et en fin de journée, il descendit à la cave.

Trouver la bonne clé se révéla d'une facilité déconcertante. Cette chance lui sembla de bon augure, du moins jusqu'à ce qu'il ouvre la porte, rencontre l'interrupteur et allume. Ce qui était entassé là lui provoqua une impression désagréable. Pour entrer, il dut sortir deux chaises paillées branlantes, les tubulures d'un lit-cage pour enfant et quatre cartons ficelés dont rien n'indiquait ce qu'ils contenaient. Son regard passa lentement sur cet amoncellement hétéroclite. Si le buffet de la salle à manger donnait le spectacle un peu triste d'une vie de couple achevée, la cave, elle, avec ses outils, ses malles et ses valises, ses caisses, ces meubles, ces boîtes de timbres, cet aquarium, ces paquets de revues, renvoyait à sa propre vie, aux bricolages auxquels il s'était livré autrefois, à de vains projets, des passions qui l'avaient abandonnées, au temps perdu. Prenant son courage à deux mains, il remua, fourragea un long moment et finit par exhumer une large cocotte en fonte qui pesait un âne mort. Il ajouta quelques casseroles, choisies au hasard, quelques plats et s'avisa qu'il faudrait plusieurs voyages pour remonter tout cela. Il décida de tout laisser sur place, il reviendrait chercher plus tard ce qu'il lui fallait, pas la peine de s'encombrer ni de s'exténuer. Il replaça les chaises cannées et les cartons ficelés, ferma la porte et quitta le sous-sol avec le vague sentiment qu'il n'y retournerait jamais plus.

Le lendemain, il faisait toujours très beau, et même un peu chaud, une de ces journées où le temps ne compte pas. Il resta un long moment à la fenêtre. Chaque fois qu'il essayait de repenser à ce repas, son esprit, refusant l'obstacle, fuyait dans une autre direction, il ne parvenait pas à se concentrer. Il ne s'était jamais ennuyé, il savait s'occuper, mais que faisait-il ordinairement à cette heure-ci, il ne s'en souvenait plus. L'appréhension concernant cette invitation occupait toute la place. Comme il n'avait pas pris de petit-déjeuner, il eut faim de bonne heure. Il se demanda à quelle heure il était décent de se rendre chez Renée...

Il se frappa le front.

Ce sont les solutions les plus simples auxquelles on pense le moins, Dieu qu'il avait été bête !

— Ah, monsieur Tessier !

Les deux mains sur les hanches, Renée se retourna d'un bloc vers l'horloge murale puis revint à sa position.

— Vous v'là ben en avance, aujourd'hui !

Quand elle plaisantait, elle prenait volontiers un faux accent paysan. C'était une femme démonstrative, qui faisait des gestes, le genre qui se plaît à être un caractère. Lui qui n'avait jamais trop aimé la familiarité, s'était tout de même habitué à cette femme, qu'est-ce que vous voulez, huit années à déjeuner ici tous les jours. Mais comme à cet instant il se sentait très dépendant d'elle, cette fois, il la trouva franchement vulgaire. Il ne répondit pas, se contenta d'accrocher son manteau au perroquet. Il était le premier, l'horloge affichait 11 h 45. Il aurait voulu faire différemment des autres jours, ne pas attraper le *Parisien* sur le comptoir, s'installer ailleurs qu'à cette table sempiternelle, voir arriver autre chose que l'habituelle demi-bouteille de Vichy St-Yorre mais il ne savait pas comment se comporter, alors bon, le *Parisien*, puis sa table et déjà Renée déposait la demi-bouteille sur la nappe à carreaux recouverte de plastique transparent.

— C'est poireau vinaigrette et tarte provençale, aujourd'hui !

Comme il ne s'était pas montré bien aimable, Renée avait dit cela comme on lance un défi.

— Parfait, lâcha-t-il à regret.

Comme tout cela était compliqué. En ouvrant le journal pour se donner une contenance, il songea à la cuisine que servait Renée : « Pour moi, ici, c'est suffisant, mais est-ce assez bon pour les autres ? » Bah, c'était de la cuisine familiale, quoi de plus adapté pour un déjeuner en famille ?

— Dites-moi, Renée, demanda-t-il lorsque arrivèrent les poireaux vinaigrette, vous pourriez me préparer un petit repas pour six personnes ? Je veux dire, à faire livrer…

— Ben, on n'a pas trop l'habitude de ça ici, M'sieur Tessier, mais pour vous, c'est pas pareil ! Qu'est-ce qui vous ferait plaisir ? Et c'est pour quand d'abord ?

— Samedi soir.

— Allons-y pour samedi soir !

— Pas celui-là, le suivant…

Renée croisa le bras, à la manière d'une institutrice.

— Monsieur Tessier ! La deuxième semaine de mai, vous savez bien que je ferme, que je vais à Laon chez ma jumelle pour notre anniversaire !

Ce fut comme une trahison. Il comprenait bien que Renée n'allait pas modifier son plan annuel dans le seul but de lui confectionner un repas pour six, il n'empêche, il jugea cela déloyal de sa part.

— Ça ne fait rien, Renée, ça n'a aucune importance…

Tant pis, il irait ailleurs. C'est d'ailleurs ce qu'il faisait lorsqu'elle fermait, il ne mourait pas de faim pour autant. Tandis qu'il mastiquait ses bouchées de poireau vinaigrette, il se demanda à quel autre restaurant s'adresser, mais il avait la tête vide, rien ne remontait, il n'en connaissait pas d'autre.

À défaut de savoir ce qu'il servirait (ni même s'il y aurait quelque chose à servir), l'après-midi,

comme un homme qui, à l'annonce d'un tsu-
nami, choisirait de tailler ses rosiers, il chercha la
nappe et les serviettes. Il remua, retourna toute
la maison. Thérèse s'en était-elle séparée sans le
lui dire ? C'était une nappe bordeaux, ou couleur
brique, il n'était plus très sûr, avec des sortes de
ramages, des feuilles d'acanthe peut-être. Avec
ça, une bonne douzaine de serviettes assorties,
ça ne disparaît pas comme ça ! Il y avait même
un chemin de table en dentelle, à l'époque il
trouvait cela ridicule, mais c'était un ensemble,
les assiettes, les verres en cristal, la ménagère en
argent, la nappe, le chemin de table... Après avoir
fouillé de fond en comble l'armoire de la chambre,
ouvert toutes les boîtes, retourné tout ce qui se
trouvait dans le buffet, il se résolut à tirer une
chaise pour aller investiguer les hauteurs du long
placard du couloir où l'on rangeait des valises,
des couettes, des couvertures. Ordinairement, il
n'était pas sujet au vertige, mais debout sur cette
chaise, il ressentit néanmoins une sorte de fra-
gilité qui le fit s'agripper aux portes ouvertes. Il
n'était pas possible de fouiller, dans cette position
inconfortable, des valises pleines à craquer. Il dut
descendre de son tabouret, le déplacer, remonter
puis tirer de toutes ses forces sur les poignées
des trois valises qui tombèrent au sol. Il pensait
avoir tout jeté, autrefois, mais il dut se rendre à
l'évidence, deux d'entre elles contenaient encore
des vêtements de Thérèse. La troisième était rem-
plie de souvenirs ayant appartenu à Marie, leur
fille, qui était morte à vingt-sept ans. C'étaient
des cahiers, des livres de poche annotés, des pho-
tographies, des 33 tours en vinyle, des bibelots
rapportés de vacances, un serre-tête, un petit singe

sculpté dans une noix de coco. Marie aurait eu quel âge ? Il calcula. Mon Dieu… Cinquante-huit ans ! Elle était institutrice, elle serait presque à la retraite ! Marie, qui n'avait jamais été très jolie, ne s'était pas mariée et n'avait quitté la maison de ses parents qu'à cause d'une nomination dans le nord de la France. La tristesse qu'il ressentait en pensant à elle tenait à ce que sa mort, qui remontait maintenant si loin, ne lui faisait plus de peine, c'était trop ancien. Il y avait longtemps qu'il n'avait pas croisé une photographie d'elle et, de mémoire, il ne parvenait pas à se remémorer son visage, sa coiffure, l'image de sa fille avait comme fondu, s'était dissoute. Son regard passa sur les effets des deux femmes qui avaient le plus compté pour lui et ce qui lui serra le cœur, ce fut son propre égoïsme, parce qu'elles n'étaient plus des êtres, seulement des souvenirs.

Allons, se dit-il, il faudra jeter tout cela. Il leva les yeux vers le haut du placard. Replacer maintenant le tout, à bout de bras en équilibre sur une chaise, s'avérait risqué. D'autant qu'il ne parvint à refermer qu'une seule des trois valises, rien à faire pour les deux autres, ça ne voulait plus rentrer. Il les aligna dans le couloir. Lorsqu'il revint dans le salon, il avait totalement oublié la question de la nappe et des serviettes.

C'est quand on croit que tout est perdu que s'ouvre parfois la seule porte par où on peut passer. Il avait lu cela, autrefois, quelque part. Et cette porte magique, il buta dessus le lendemain matin. Parce que des travaux dans la rue l'empêchèrent d'emprunter son chemin habituel pour se rendre chez Renée, il se retrouva soudain devant la vitrine de la *Charcuterie Guénot, traiteur*. À découvrir les alignements de brochettes de noix de St-Jacques, les fagots de légumes croquants et les taboulés de quinoa, il en eut les larmes aux yeux. Il entra. À se voir commander un menu pour six personnes sans autre précision, la jeune vendeuse resta perplexe.

— Oui… ? répondit-elle, attendant la suite.

Puis, comme rien ne venait :

— Et… Vous voulez quoi, au juste ?

Devant l'amoncellement de verrines de crudités, les pâtés en croûte, les ravioles printanières, il fut pris d'un vertige… C'était comme la *Cuisine facile*, trop de choix, on ne savait plus où donner de la tête.

— Eh bien, je vous demande de me composer un menu pour six personnes ! Pour un traiteur, ça ne doit pas être infaisable, non ?

La patronne, aux cris du client, fit son entrée. Mme Chantal, comme on disait, était une femme forte et rouge comme une charcutière et pas du tout du genre à se laisser impressionner. Sans un mot, elle balaya son apprentie d'un revers de main, s'enquit de la question, prête à en découdre mais se sentie flattée par la demande de conseil et composa en un tournemain un repas qu'elle qualifia de « chic mais sobre quand même » : tartares de saumon et fromage frais à l'aneth, filets de bar glacé et légumes croquants, plateau de fromages et tambourins de fruits rouges…

De retour chez lui, il n'en revenait pas que le ciel se fut ainsi éclairci en moins d'une heure. C'était miraculeux et pourtant, cela lui laissa une vague impression d'échec, comme si cette solution

facile lui avait coûté trop d'énergie, lui avait procuré trop de souci pour qu'il puisse en ressentir
de l'apaisement. Mais c'était fait. Il dormit mieux
et, bien que la journée suivante fût la première de
temps gris depuis plus d'une semaine, qu'il se mît
à pleuvoir à midi, il tira des plans sur la question
des nappes, des serviettes, du café, du pain frais,
le vin, les eaux minérales… Seul l'orage qui éclata
en milieu de journée le dissuada de sortir pour
faire les emplettes dont il avait maintenant établi
la liste détaillée. Vingt fois, il avait ouvert la porte
du réfrigérateur et regardé les sacs, les barquettes,
comme pour s'assurer qu'il avait bel et bien résolu
son problème, que le repas ne s'était pas envolé.
Il subsistait bien un fond d'inquiétude, mais dont
l'objet restait flou.

Enfin, vers 18 heures, il eut une révélation tellement violente, impérative, qu'il ne fit pas seulement attention à l'orage qui déferlait sur Paris. Il
arriva trempé chez le traiteur, posa fébrilement sa
question.

— Mais, dit Madame Chantal, vous m'avez dit
« pour samedi » !

— Oui, enfin, pour samedi… L'autre samedi
évidemment !

La patronne partit alors de ce beau rire supérieur, fruit de trente années de compétence dans
le commerce de bouche.

— « Évidemment » ! Comme vous y allez ! Je suis
désolée, cher monsieur, mais pour moi « samedi »,
c'est samedi, et pas le suivant !

Il y avait, dans sa voix, cette tonalité de certitude et de suffisance qui donne des envies de
meurtre. Mais il était sans force, vidé de toute
énergie.

— Et alors ? demanda-t-il.

— Eh bien, monsieur, ce que vous avez pris, ce sont des produits frais, avec de la crème, de la mayonnaise, des œufs... des choses qui ne peuvent pas attendre dix jours.

Avant qu'il n'ouvre la bouche, elle crut bon de conclure :

— La maison ne pourrait pas être tenue responsable en cas de...

— D'accord ! hurla-t-il, d'accord ! C'est de ma faute ! On reprend tout à zéro : préparez-moi le même repas pour samedi prochain. Vous entendez « prochain » !

— Ah ça, cher monsieur, c'est impossible. Pour le pont, nous ferons comme tout le monde : nous serons fermés.

Le jeudi, Marylin s'inquiéta. Son vieil oncle avait beau être un modèle de jeunesse et de vitalité, il avait invité toute la famille à déjeuner, c'était tout de même du travail. Elle appela. Il répondit mollement que oui bien sûr, ils étaient toujours invités, qu'il allait s'en occuper, mais il parla d'un ton presque absent, mécanique...

— Mais dites-moi, mon oncle, plutôt que de vous mettre en peine, ça ne serait pas mieux d'aller tous ensemble au restaurant ?

— C'est que... tout est fermé. C'est le pont.

— Mais non, tout n'est pas fermé, nous trouverons bien quelque chose ! Je vais m'en occuper, ne vous en faites pas.

Il ne refusa pas. Au contraire, c'était d'accord, si vous vous chargez de trouver quelque chose, c'est très bien, oui.

Le samedi lorsqu'ils arrivèrent, Marylin en fut presque choquée. Un peu voûté, plus lent qu'avant, son oncle lui sembla tout à coup très vieux. « Qu'est-ce que tu veux, dit-elle le soir à son mari, il a 81 ans... »

Marc LEVY

Dissemblance

— Depuis combien de temps sommes-nous là ? demande Aaron en traçant un cercle sur la terre meuble.

Il se lève, avance vers la porte, hausse les épaules et retourne s'asseoir, dos au mur.

— Fais comme tu voudras, poursuit Aaron. On est là, seuls comme deux idiots, mais peut-être que tu aimes ça la solitude.

— Nous sommes entrés dans cette pièce ensemble, tu dois savoir aussi bien que moi depuis quand nous y croupissons. Alors, pourquoi me le demander ? répond Mehdi.

— Je n'arrive plus à me souvenir.

Les deux hommes se toisent. Aaron efface le cercle dessiné sur le sol et lève les yeux au ciel.

— Quand j'étais enfant, dit-il, ma mère m'apprenait à compter les nuits d'absence de mon père. Elle les appelait les Laïlas. Les Laïlas étaient devenues pour moi la mesure du calendrier. Je croyais qu'il se décomposait en nuits et non en jours. C'est stupide, non ?

— Pour avoir besoin de parler autant tu dois vraiment avoir peur ?

— Pas toi ?

— Je ne sais pas, Aaron.

— Tu ne sais pas depuis combien de temps nous sommes là, tu ne sais pas si tu as peur. Tu sais quelque chose au moins ?

— Je sais qu'on est là depuis bien longtemps, mais je ne peux plus compter les Laïlas, Aaron.

— Après tout, cela n'a pas d'importance, nous ne sommes plus des enfants.

Aaron hésite avant de poser une nouvelle question.

— Combien d'années a duré ton enfance ? finit-il par demander.

— Autant que la tienne, je suppose. Mais je me fiche du passé ; j'aimerais mieux savoir jusqu'à quand je vais devoir te supporter dans cet espace exigu.

— Tu serais mieux tout seul ?

— Pas si tu te taisais, tu m'empêches de réfléchir.

— Et on peut savoir à quoi tu réfléchis ?

— À mon père. Moi aussi j'ai une absence ; impossible de me souvenir de son visage. Tout à l'heure encore, ses traits étaient présents, mais depuis que tu m'as raconté ta satanée histoire avec ta mère, je pense à lui et je n'arrive plus à me représenter ses yeux. Étaient-ils bleus ou marron ? Merde alors, on ne peut quand même pas oublier la couleur des yeux de son père !

— Qu'est-ce qu'il faisait dans la vie ?

— Il était dans une milice.

— Et c'est un métier ?

— Le seul que les hommes de mon village pouvaient trouver pour nous permettre de manger. Avant, il était journaliste, mais il y a eu l'embargo sur le papier et son journal a dû fermer.

— C'est pour ça que tu ne peux pas te souvenir de la couleur de ses yeux… à cause de la visière de sa casquette de milicien !

— Je te préviens, si tu te fous de la gueule de mon père, je te casse la tienne.

— Je ne peux pas me foutre de sa gueule alors que tu ne te rappelles même plus à quoi elle ressemble… Je n'ai aucune imagination.

— Et toi, que faisait ton père ?

— Il était dans l'armée. Les tiens l'ont tué.

Aaron et Medhi se regardent, ils se jaugent. Puis chacun replonge dans ses pensées.

— Aaron ? murmure Medhi. Pourquoi ne m'appelles-tu jamais par mon prénom ?

— Je n'avais pas remarqué.

— Chez nous, on raconte que vous ne voulez pas connaître nos prénoms.

— Quelle idée étrange ! Et pourquoi ?

— Chez nous, on dit qu'apprendre le prénom de quelqu'un, c'est déjà le connaître un peu. Et il est plus difficile de tirer sur quelqu'un que l'on connaît. Ce n'est pas bête comme raisonnement.

— Peut-être, mais c'est chez vous qu'on raconte ça, pas chez nous.

— En tout cas, moi je sais quel est ton prénom, toi tu n'as toujours pas prononcé le mien.

— Tais-toi, tu me fatigues avec tes raisonnements idiots, aussi idiots que toi et tous les tiens.

— J'aurais voulu que tu rencontres ma grand-mère.

— Ta grand-mère, ton père, tu m'emmerdes avec ta famille, Medhi.

— Tiens, là tu as dit mon prénom. Tu vois,

nous apprenons à nous connaître un peu. Ça me fait plaisir.

— Ça me fait plaisir de te faire plaisir. Maintenant, laisse-moi réfléchir en silence.

— Tu ne veux pas savoir pourquoi j'aurais voulu que tu connaisses ma grand-mère ?

— Non, je ne le souhaite pas, mais comme tu vas me le dire quand même, parle, après j'aurai peut-être un peu la paix.

— C'est toi qui as entamé la conversation, si je ne m'abuse. Et d'abord, à quoi réfléchis-tu de si important ?

— À la façon de sortir de cet endroit !

— Pourquoi ? On n'est pas si mal ici, je veux bien en profiter moi, de ce repos. J'étais fatigué ces derniers temps, tu sais.

— Qu'est-ce que je disais, tu es un parfait imbécile, Medhi, tu te contentes de ton sort.

— Et voilà, c'est à cause de ce genre de phrase que j'aurais voulu que tu discutes avec ma grand-mère.

— Je ne vois vraiment pas le rapport.

— Tu dis que tu te bats pour ton bonheur, mais tu es incapable d'en apprécier un bon moment. Dehors, tu grelottais la nuit, tu suais le jour à en crever, ton estomac était vide, tu ne pouvais même plus déglutir tellement tu avais la gorge sèche. Ici, il ne fait ni froid ni chaud, nous n'avons ni soif ni faim, et tu voudrais sortir ! Qui est l'idiot ?

— Et qu'est-ce que vient faire ta grand-mère là-dedans ?

— Elle t'aurait appris la sagesse !

— Ah ! Ah ! Venant de toi ça me fait bien rire, elle n'a pas dû trouver le temps de te l'apprendre, sa sagesse.

— Laisse ma grand-mère en paix.

Medhi se lève et vient s'asseoir à côté d'Aaron.

— Aaron, tu le sais, toi, pourquoi nous nous haïssons ?

— Ça aussi tu l'as oublié ?

Aaron marque une pause.

— Parce que tu es mon ennemi, Mehdi, c'est ainsi.

— On ne se connaît pas, on ne s'est jamais rencontré et pourtant, on est ennemis. Ça donne à réfléchir, non ?

— Je n'avais pas besoin de te connaître, c'est dans notre histoire. Nos pères se haïssaient déjà.

— Drôle d'héritage... Mais tu n'as pas répondu à ma question, Aaron. Peut-être que tu ne connais pas la réponse et que tu as peur d'avouer ton ignorance.

— Vas-y, je t'écoute, toi qui es si instruit.

— C'était ma grand-mère qui savait tout !

— Et revoilà son aïeule ! Mon Dieu, mais qu'est-ce que j'ai bien pu faire pour me retrouver ici avec lui ?

— Ton Dieu ! Tu sais, ton Dieu et le mien, c'est le même, il change juste de nom quand il franchit la frontière.

— De langue aussi, je te ferai remarquer, une sacrée différence pour un seul homme, non ?

— Ce n'est pas un homme, c'est Dieu. Moi je vais te le dire, Aaron, pourquoi nous nous haïssons. Nous ne parlons pas la même langue, nous ne portons pas les mêmes habits, nous n'avons pas fréquenté les mêmes écoles, et nous ne disons pas les mêmes prières. Voilà une sacrée liste de différences, bien trop grande pour que nous les hommes, nous nous entendions.

— Je me fiche de la langue que tu parles, de l'école où tu as étudié, de la façon dont tu pries, et encore plus des vêtements que tu portes.

— Alors pourquoi nous haïssons-nous ?

— Ça aussi tu l'as oublié, comme la couleur des yeux de ton père ?

— Dis-le-moi si tu t'en souviens. Dis-le-moi, et je te jure sur mon Dieu que je commencerai à réfléchir avec toi à la façon de te faire sortir d'ici !

— Parce que tu as l'intention de rester, peut-être ?

— Je n'ai pas encore pris ma décision, mais ne change pas de sujet. C'est vraiment une sale manie que tu as.

Aaron se lève et se met à faire les cent pas le long des quatre murs qui les entourent, et plus il réfléchit à la question de Mehdi, plus il lui semble que ses pas s'allongent comme si la pièce s'agrandissait.

— Et toi, tu me dis que tu connais la réponse ? dit-il en pointant un doigt vers Mehdi.

— Moi je te dis que toi tu la connais, seulement, elle est difficile à avouer.

Aaron dévisage Mehdi.

— Et si je te la dis, cette raison, qu'est-ce qui me prouve que tu m'aideras vraiment à sortir d'ici ?

— Ce n'est pas ce que je t'ai promis. Je me suis engagé à y réfléchir à tes côtés, et si le marché ne te semble pas équitable, je te promets autre chose : une révélation.

— Quelle révélation ?

Mehdi croise les bras et attend qu'Aaron s'exécute.

— Bon, tu veux la vérité, je vais te la dire. Mais je te préviens, Medhi, si tu le répètes à qui que ce soit, je t'arracherai la langue.

Mehdi sourit, amusé par cette menace fragile, comme proférée par un enfant à la recherche d'une contenance.

— La vérité, reprend Aaron, c'est que nous vous haïssons parce que nous avons peur de vous.

— Pourquoi ? demande Medhi.

— Parce qu'à force de vivre côte à côte, nous nous mélangeons et vous déteignez sur nous. Nous devons protéger ce que nous sommes, et d'où nous venons, voilà la vérité.

— Parce que tu sais d'où tu viens, toi ?

— Bien sûr, nous sommes une des plus vieilles tribus du monde !

— Nous aussi nous sommes une des plus vieilles tribus du monde, peut-être même aussi vieille que le monde. Et à quoi sert toute cette histoire ? À se faire la guerre pour défendre ses origines, quand on n'arrive même pas à se souvenir de la couleur des yeux de son propre père ! À mon tour de te faire un aveu ; chez nous, on vit avec la même trouille si bien, qu'un jour nous avons pris des pierres pour vous les jeter à la figure, pour vous faire disparaître et la peur avec. Vous nous avez tiré dessus, on a tiré aussi. Mais nous avions moins de balles que vous. Les balles coûtent cher, on n'avait pas l'argent, alors on a fabriqué des bombes de fortune. On nous les accrochait autour de nos ventres, ces bombes qui ne coûtent pas cher à fabriquer, là où cette peur tenaillait nos entrailles, et on vous les faisait péter à la figure. L'escalade quoi !

Aaron se laisse glisser le long du mur et redessine un rond dans la terre meuble.

— Tu ne réponds rien ? demande Medhi.

— Il n'y a pas grand-chose à ajouter. L'escalade

comme tu dis. Tu sais Medhi, il y a une question que je n'ai jamais osé poser à quiconque.

— Quelle question ?

— De toute manière, à quoi bon ? Je ne vois pas comment toi, tu pourrais connaître la réponse, personne ne la connaît.

— Pose-la toujours, on ne sait jamais.

— À qui profite cette haine ?

Mehdi fouille la poche de sa veste à la recherche d'une cigarette, mais elle est vide.

— À qui voudrais-tu qu'elle profite ? Nous sommes nés avec elle, nos parents et nos grands-parents aussi.

— Non. Avant, nos ancêtres cohabitaient. Mais vous n'avez jamais voulu du partage.

— Tu ne manques pas d'air ! Nous étions là avant vous et d'autres aussi. Vous avez érigé un mur, vous vous êtes comportés en colons.

— Vous vouliez nous anéantir, nous n'avons cherché qu'à nous défendre.

— En nous ôtant nos droits ? En nous humiliant ? Deux millions d'êtres humains dans un ghetto de quarante kilomètres de long et dix de large, que voulais-tu qu'il se passe d'autre que de vouloir en sortir, s'en sortir ?

— Et pour cela, il fallait creuser des tunnels pour faire exploser vos bombes au milieu de nos femmes et enfants, tirer des roquettes sur nos villes ?

— Et vous, bombarder nos quartiers, tuer des enfants par centaines ? hurle Medhi. Vous n'avez rien appris de votre passé ? L'escalade, hein ?

Aaron se lève et se rend dans un coin de la pièce, le visage vers le mur. Medhi choisit l'angle opposé et fait de même.

Combien de temps passent-ils ainsi dos à dos,

aucun des deux ne le sait. Mais bien plus tard, apeurés par le silence écrasant, ils se retournent et leurs regards se croisent.

— Ton père avait les yeux bleus, Medhi.

— Et comment le sais-tu ? Tu ne l'as jamais connu, proteste Medhi.

— Parce que tu ne te regardes peut-être plus en face depuis longtemps, mais moi je te vois. Tu as les yeux bleus, et sans aucun doute le regard de ton père, ça aussi c'est une histoire de gènes, répond Aaron.

— Qui entretient cette haine ? reprend Medhi.

— Ceux qui ont pour ordre de nous attaquer, lâche Aaron en ricanant.

— Et ceux qui ont pour ordre de vous défendre et de confisquer nos terres, ricane à son tour Medhi.

— Nous pouvons argumenter jusqu'à la fin des temps, aucun de nous n'aura raison. Ce sont nos Dieux qui s'affrontent.

Puis, Aaron baisse lentement la tête et murmure :

— Je crois qu'on nous a menti, Medhi.

— Qui nous a menti ?

— Les hommes de Dieu.

— Tu dis vraiment n'importe quoi, les hommes de Dieu ne peuvent pas mentir, ils détiennent et portent la vérité.

— Puisque tu en es si sûr, alors dis-moi qui a créé l'homme ?

— Dieu, évidemment ! répond aussitôt Medhi, tout en levant les yeux au ciel.

— Dieu a créé tous les hommes ?

— Tous les hommes, et les animaux, la mer, la terre, tout, absolument tout. Où veux-tu en venir ?

— Si Dieu a tout créé, ce ne peut être que Lui qui a décidé que l'Humanité ne soit pas faite d'une seule couleur, Lui qui les a peintes, ces couleurs. Lui encore qui a voulu que nous ne parlions pas tous la même langue, que nous inventions des modes de vie différents, que nous ne priions pas de la même façon, que nous l'appelions par un nom différent...

— Excuse-moi Aaron, mais je ne vois pas où tu veux en venir.

— Réfléchis, tout ce que je viens de dire porte un nom, Medhi.

Silence.

— Tu prétends que Dieu aurait voulu et inventé la différence ?

— Si tu crois que Dieu a inventé le monde, alors ce ne peut être que Lui l'auteur de sa diversité. Et Dieu ne peut en aucun cas demander aux hommes de détruire en son nom, ce que lui-même a créé !

— Tu m'accorderas qu'il s'est un peu compliqué la vie et la nôtre avec. Si nous avions tous été identiques, tout aurait été plus facile.

— Plus facile, mais d'un ennui... la vie n'aurait eu aucun intérêt.

— Tu ne crois pas que tu exagères un peu ?

— Parce que tu vas me dire que depuis que nous sommes dans cette pièce aux murs uniformes et sans couleur, nous ne nous ennuyons pas ? Tu vas me faire croire que depuis que nous sommes ici, tu n'as pas rêvé de sortir et retrouver ta vie d'avant ? Que soif ou faim, chaleur ou froid, tu ne donnerais pas tout pour retourner courir sur nos collines, revoir les rues de nos villages où se mélangent mille odeurs et parfums, mille couleurs, où même la lumière diffère au fil de la journée ?

— Je ne te dis pas le contraire, mais je ne

m'ennuie pas, en tout cas, pas depuis que nous discutons.

— Et qu'est-ce qui te passionne au point de te faire oublier la monotonie de ce lieu, de quoi parlons-nous depuis tout à l'heure, Medhi ?

— De nos différences… souffle Medhi.

Alors, Aaron et Medhi s'observent longuement, non parce qu'ils n'ont rien d'autre à faire, mais parce que chacun réfléchit.

— Tu crois que si on disait tout cela à nos proches, on réussirait à changer quelque chose ? demande Medhi.

— J'en doute.

— Ça vaut peut-être la peine d'essayer, non ?

— Personne ne nous écoutera. Pire, on nous assassinera pour avoir tenu de tels propos. N'as-tu pas compris qu'à chaque fois que nous avons failli faire la paix, ils se sont arrangés pour faire couler le sang et rallumer l'incendie.

— Qui ?

— De chaque côté du mur règnent les marchands de haine. Ceux qui nous opposent ; ceux qui veulent plus de richesses, de terre, d'eau et de moissons, à leur seul bénéfice ; ceux qui vivent sans partage ; ceux qui vendent les armes avec lesquelles on s'entre-tue. Ceux qui réinventent la parole de Dieu pour exercer leur suprématie ; ceux encore qui entretiennent l'ignorance par tous les moyens pour asseoir leur pouvoir ; ceux qui envoient des enfants se faire tuer au nom de ce même Dieu, au nom d'un monde meilleur ou d'un paradis. Comme si le meilleur pouvait naître des terres et des rivières rougies du sang des hommes. Leur parole couvre celle des gens de bonne volonté. Ne me demande pas pourquoi, je n'en sais rien. Crois-moi Medhi, personne ne nous écoutera, et si la mort ne vient pas d'en face, on nous tuera dans notre propre camp.

— Alors au lieu de pierres, de fusils et de bombes, c'est de courage qu'il faut s'armer. Maintenant que nous savons la vérité, si nous les laissions faire, si nous renoncions, c'est nous qui serions coupables au jour du Jugement dernier. Et si nous nous unissons, nous serons plus forts que ces marchands de haine.

— Ils ne nous laisseront pas faire justement pour cela.

— Clamer ensemble que puisque Dieu a inventé la différence, en son nom nous devons la respecter, la cultiver, la protéger et l'aimer. Voici ce qu'il faut prêcher. Cette pensée pourrait bouleverser le monde !

— Maintenant c'est toi qui exagères, Medhi !

— Dis-moi quel vaccin pourrait sauver autant de vie que notre découverte. Nous aurons peut-être même un prix Nobel. Ne reste pas là à rien faire, lève-toi bon sang !

Aaron ne bouge pas, l'air grave, il regarde la porte.

— Il doit bien y avoir un moyen de sortir d'ici, reprend-il.

— Elle n'a jamais été fermée à clé, il te suffisait d'essayer de l'ouvrir, murmure Medhi.

— Et tu ne m'as rien dit, salopard ?

— Je t'avais promis une révélation et aussi de t'aider à réfléchir. Je crois avoir tenu parole. Et puis, si je te l'avais avoué tout à l'heure, tu serais parti aussitôt et nous n'aurions pas tenu cette conversation.

— Nous n'aurions pas fait connaissance et nous

n'aurions eu aucune chance d'avoir ce prix Nobel, n'est-ce pas ? ricane Aaron.

— Remercie-moi au lieu de te moquer. La porte est ouverte, tu peux partir maintenant.

Aaron se lève et marche vers la porte, il hésite puis plonge son regard dans celui de Medhi.

— Viens avec moi, seul je n'y arriverai pas. Pendant que je parlerai aux miens, tu devras faire la même chose avec les tiens. Debout Medhi, allons-y !

— Sors si tu le souhaites, mais je doute que tu puisses aller dire quoi que ce soit, à qui que ce soit.

— Et pourquoi ?

— Parce que moi, j'ai peut-être oublié la couleur des yeux de mon père, mais je n'ai pas perdu la mémoire, comme toi. Enfin, pour être honnête, elle m'est revenue pendant que je rêvais à mon prix Nobel. Je connais la raison qui fait que nous sommes ici, Aaron.

— Et cette raison nous interdit d'aller parler à nos frères ?

— D'une certaine façon, oui.

— Alors, je t'écoute, je t'en prie, toi qui sembles omniscient !

— Parce que nous sommes morts, Aaron !

— Morts ?

— Nous nous sommes tués l'un l'autre. Je ne pourrais pas vraiment te dire à quand cela remonte, mais je me souviens très bien de la façon dont ça s'est déroulé. Je suis passé par un tunnel pour m'introduire chez vous, je suis entré dans un de vos supermarchés, avec, attachée à ma ceinture, une de ces bombes qui ne coûtent pas cher à fabriquer. Oh, j'avais beaucoup plus peur que je n'aie voulu te l'avouer tout à l'heure. Toi, tu gardais les lieux dans ton bel uniforme de soldat, tu as vu cette peur qui ruisselait sur mon front, tu as compris, tu as saisi ton arme et tu m'as tiré dessus. Tu te souviens maintenant ?

— Et moi, comment je suis mort ?

— Tu as visé mon ventre, imbécile !

Aaron et Medhi restèrent là, à se regarder l'un l'autre, chacun muré dans son silence. Et soudain, Aaron se mit à rire, quelques hoquets d'abord, suivis d'un rire franc qui résonna dans la pièce, et l'écho de ce rire-là gagna Medhi.

S'ils avaient été encore en vie, l'air serait venu à leur manquer tant ils riaient en se tenant le ventre, et pour la première fois depuis leur enfance, sans y ressentir de douleur ou de peur.

— Tu imagines, dit Aaron. Si nous avions pu leur dire ce que nous savons maintenant.

— Tu imagines, répondit Medhi, si nous l'avions découvert avant... Allez, viens, je vois la lumière diminuer, je pense que nous devons partir d'ici.

Les deux hommes se lèvent et ouvrent la porte. Ils s'engagent dans un long corridor et marchent côte à côte. Aaron prend la main de Medhi et Medhi referme ses doigts autour de la sienne.

— J'ai un peu peur, tu sais, dit-il.

— Toi tu as peur ? Pourtant tu n'avais pas peur de mourir, tu l'as gueulé assez fort sur les collines quand on se faisait la guerre.

— Bien sûr que si j'avais la trouille, mais je croyais à une vie après la vie, meilleure que celle que j'avais connue sur la terre. Maintenant, je sais que les hommes de Dieu nous ont menti, alors je crains l'éternité !

— Qu'est-ce que tu sais de l'éternité ?

— Rien, mais j'ai peur quand même.

— N'aie plus peur, je crois que je viens d'apercevoir ta grand-mère, mon père ne doit pas être
très loin. Fais bonne route, Medhi.

— Toi aussi Aaron, fais bonne route.

Leurs mains se séparent.

Quelques pas plus tard, Aaron se jura de prononcer le prénom de Medhi au moins une fois chaque
jour, pour ne jamais l'oublier. Mieux encore, avant
que ne règne la « Laïla » et Medhi sourit à cette
seule pensée. Sans avoir à échanger la moindre
parole, il lui fit la même promesse.

Et puis tous deux ressentirent un manque au
fond de leur poitrine, chacun s'avoua à lui-même
qu'un prénom ne suffirait pas, qu'ils auraient aimé
se connaître... avant. Peut-être qu'il était important
de se le dire, avant de se séparer...

Chacun se retourne, mais l'autre a disparu.

Aaron hausse les épaules. Medhi, de son côté, fait
de même. Puis, ce sont leurs regrets qui s'effacent,
parce que chacun pense qu'avant, ils n'auraient
jamais trouvé le courage de faire un tel aveu, leurs
pères ne leur auraient jamais pardonné.

Guillaume MUSSO

Fantôme

*À ma mère, bénévole aux Restos du Cœur
depuis vingt ans.*

Quand nous sommes seuls longtemps,
nous peuplons le vide de fantômes.

Guy de MAUPASSANT, *Le Horla*

1.

Lennox
Dans les environs de Seattle
Samedi 13 décembre

Je m'appelle Constance Lagrange, j'ai 37 ans. Il y a cinq mois, le jour de mon anniversaire, j'ai appris trois nouvelles, deux bonnes et une mauvaise.

Les bonnes d'abord. À mon arrivée au commissariat, le matin de ce 25 juillet, mon supérieur hiérarchique, le commandant Sorbier, m'a annoncé ma promotion au grade de capitaine de police dans la prestigieuse Brigade nationale de recherche des fugitifs.

À midi, j'ai reçu un coup de fil de mon banquier me faisant savoir que ma demande de prêt venait d'être acceptée, me permettant enfin d'acheter la petite maison de mes rêves dans le quartier de la Mouzaïa, à Paris. Je me rappelle avoir pensé que c'était vraiment mon jour de chance, et je suis restée sur mon nuage jusqu'à la fin de l'après-midi.

Jusqu'à ce que mon médecin m'apprenne que le scanner passé la semaine précédente avait révélé une tumeur au cerveau.

*
* *

Le souffle du vent fait trembler les vitres de ma chambre. Je me demande ce que je fous là, seule, à 8 000 kilomètres de chez moi, dans cet hôpital américain d'un autre âge, cerné par une forêt oppressante. Dans un moment de faiblesse, je me suis laissée convaincre par un couple d'amis new-yorkais de venir consulter un cancérologue réputé qui exerce dans cet établissement.

Comme si ça pouvait changer quelque chose...

J'ai un glioblastome de stade IV. La pire des tumeurs. Agressive, invasive et inopérable.

En août, on m'a donné quatre mois d'espérance de vie. Nous sommes mi-décembre, j'ai déjà gagné quelques semaines. Je n'ai pas le droit de me plaindre.

Je suis arrivée hier soir. Le voyage en avion m'a épuisée. Péniblement, je me traîne jusqu'à la fenêtre et fais coulisser le vantail pour prendre un bol d'air frais. D'ici, au quatrième étage, je parviens presque à distinguer l'édifice dans son intégralité : une imposante bâtisse gothique en briques rouges hérissée d'une multitude de toits en forme de flèche. D'après la brochure, l'hôpital a été construit en 1870. Entouré de larges bandes de pelouse, il ressemble à un vieil hôtel monumental, avec ses deux ailes encadrant le bâtiment principal réservé à l'administration.

Je ferme les yeux. J'ai peur. Je ne veux pas mourir.

— Voici votre déjeuner, ma petite demoiselle !

L'infirmière a une voix engageante. Haute comme trois pommes, c'est une femme toute en rondeur au visage jovial et aux hanches larges qui ressemble à une matriochka.

— Je suis Molly Battagliola, l'infirmière de garde, se présente-t-elle en soulevant ses bras potelés pour poser devant moi un plateau-repas.

— Constance Lagrange.

— *Bon appétit*, me lance-t-elle en français. Je reviens vous voir très vite.

Je regarde mon déjeuner avec consternation : un pavé de poisson baignant dans son eau de cuisson, des légumes difficilement identifiables noyés de sauce grisâtre, des crackers mous, un fromage blanc sur lequel se détache un long poil noir.

C'est sûr, Alain Passard n'est pas en cuisine...

À nouveau je ferme les yeux. Je suis essoufflée. Je pense à cette tumeur qui cannibalise mon cerveau, à ses zones de prolifération qui ont envahi la partie gauche du lobe frontal. À la mort qui rôde, toute proche et sur laquelle je n'ai pas de prise.

— Ne touchez pas à ça, malheureuse ! Vous risquez l'intoxication !

Je tourne la tête vers la voix qui m'interpelle. C'est celle d'un jeune homme souriant, vêtu d'une blouse blanche ouverte sur un tee-shirt Pearl Jam. Il porte des Nike Air usées et un jean délavé et troué, semblable à celui dont je m'accoutrais lorsque j'étais au lycée.

— Docteur Montgomery, dit-il en jetant un œil

GUILLAUME MUSSO

à mes constantes médicales placardées sur le rebord du lit.

Je l'observe de plus près. Il a des traits incroyablement fins, des yeux verts brillants, une barbe naissante et une coupe de cheveux à la Kurt Cobain.

— Vous n'êtes pas un peu jeune pour être médecin ?

— J'ai 28 ans ! Le même âge que vous, non ?

Je secoue la tête :

— Foutez-vous de moi…

— Ce n'est pas moi qui vous soigne, c'est le docteur Goodrich, mais il ne sera pas là avant lundi.

— C'est malheureusement ce que j'ai cru comprendre.

— En attendant, si je peux faire quelque chose pour vous…

— Vous pouvez me cuisiner une côte de bœuf saignante avec des pommes de terre grenaille ?

Il regarde mon plateau-repas avec un grand sourire.

— Si ça peut vous rassurer, ce n'est pas tellement meilleur à la cafétéria du personnel hospitalier.

Il regarde l'heure à la pendule murale, hésite, puis :

— Pour la côte de bœuf ça va être compliqué, mais je peux vous rapporter un hamburger. C'est bientôt ma pause et il y a un fast-food à moins d'un quart d'heure. Si ça vous tente…

— Tout plutôt que ce truc infâme, dis-je en repoussant la table de lit à roulettes. Pour moi, ce sera un Big Mac et un Double Cheese.

— Ça marche !

154

— Et un *Diet Coke*. Et une grande frite. Et une boîte de nuggets !

— D'accord, d'accord.

Son visage s'illumine. Il sourit à pleines dents. Ce type me fait un drôle d'effet. Pour la première fois depuis l'annonce de ma maladie, je me sens à nouveau femme.

— Je vous rapporte ça dans trente minutes, promet-il. On déjeunera ensemble.

Alors qu'il a déjà quitté la chambre, je le rattrape dans le couloir :

— Et n'oubliez pas le ketchup !

En quelques foulées légères, je retourne m'allonger dans mon lit. Je vais toujours crever, mais je me sens gaie comme un pinson. J'ai envie de plaire à cet homme. Envie de vivre. Encore un peu.

J'écrase un bâillement, ferme les paupières quelques secondes et m'accorde un léger assoupissement en attendant que mon nouvel ami revienne de la chasse.

*
* *

2.

J'émerge de mon demi-sommeil. La chambre est plongée dans l'obscurité. À présent, il fait un froid polaire. Quelqu'un a éteint les lumières et un mélange de pluie et de neige s'accumule sur les vitres. Je me redresse, consulte la pendule. Il est plus de 14 heures. J'ai dormi deux heures !

Et merde…

J'appuie sur la sonnette pour appeler l'infirmière.

— Vous avez fini votre sieste, princesse ? demande Molly Battagliola en rallumant les tubes au néon.

Sa silhouette rondouillette s'active autour de mon lit. Elle m'aide à remonter mes oreillers et me gronde comme une enfant :

— Vous n'avez pas touché à votre plateau ! Comment voulez-vous reprendre des forces si...

— Vous savez si le docteur Montgomery est repassé me voir ?

— Le docteur Montgomery ?

Stupéfaite, elle laisse passer plusieurs secondes :

— Il n'y a pas de docteur Montgomery dans cet hôpital, ma belle. C'est le docteur Blackwell qui est de garde. Il a effectué sa visite, mais vous dormiez.

J'insiste :

— Je vous parle d'un beau gosse en jean, tee-shirt et baskets. Une barbe de trois jours, des yeux verts à tomber...

Elle s'immobilise. Même la graisse de son visage se fige. Une lueur d'affolement passe dans son regard.

— Mais, vous... vous parlez de Damian...

— Qui est Damian ?

Elle avale sa salive :

— Damian Montgomery. C'était un jeune docteur qui exerçait à l'hôpital, mais il... il est mort.

— Il est mort ? Quand ?

— Il y a plus de vingt ans !

— Vous vous foutez de moi, Molly ? Je viens de le croiser, il y a deux heures.

Affolée, elle lève les bras au ciel :

— Vous perdez la raison, princesse. Je vais appeler le docteur Blackwell et...

— Vous n'allez appeler personne ! Passez-moi mon ordinateur plutôt. Là-bas, dans le sac.

Elle soupire mais, docile, me tend mon notebook. J'en soulève le capot et me connecte au réseau wifi de l'hôpital. Je continue à interroger l'infirmière : date des faits, nom du canard local... Mes doigts courent sur le clavier. En quelques clics s'affiche sur l'écran un article de presse :

Un médecin du State Hospital décède d'une overdose.

(Lennox Time – mardi 18 mai 1993)

Damian Montgomery, un jeune cancérologue du Lennox State Hospital, a été retrouvé mort hier matin à son domicile avec une seringue dans le bras.

Au vu des premières constatations, le décès remonterait à la nuit précédente. Il serait dû à un abus d'alcool et d'héroïne. Les officiers de police qui ont fouillé son appartement ont retrouvé des médicaments en grande quantité, que le médecin aurait volés sur son lieu de travail.

Au Lennox State Hospital, c'est la stupéfaction. « Notre collègue a toujours eu un comportement exemplaire dans son travail », a déclaré Mark Hoggart, le directeur de l'établissement. (...)

Je détourne les yeux du texte pour scruter la photo qui illustre l'article. Pas de doute. C'est bien lui : même intensité du regard, mêmes traits réguliers, même sourire radieux.

Je sens une boule dans ma gorge, mon ventre se creuse, mon rythme cardiaque explose.

Qu'est-ce qui se passe, bordel ? Je n'ai pas rêvé quand même !

Je me masse les paupières. La maladie a débuté par des nausées, des vomissements, des maux de tête violents, des absences, des vertiges et des pertes de mémoire, mais *jamais* je n'ai déliré. Jamais je n'ai eu d'hallucinations.

J'essuie les gouttes de sueur qui tapissent mon front. D'un bond, je saute hors de mon lit. Je retire ma blouse de malade et enfile mon « uniforme » de flic : mon jean élimé, mon pull, mon vieux cuir, mes bottines. L'infirmière essaie de me dissuader d'entreprendre quoi que ce soit.

— Soyez raisonnable princesse, vous ne pouvez pas…

— C'est un hôpital, pas une prison ! je lance en quittant la chambre.

*
* *

3.

Je descends les escaliers de marbre qui mènent au rez-de-chaussée. Débarrassée de ma blouse, je me sens mieux. À nouveau libre, vivante, sur la brèche. Entre deux étages, je m'arrête près du renfoncement dans lequel est installé un extincteur volumineux. Punaisées au mur figurent les consignes d'évacuation de l'hôpital en cas d'incendie ainsi qu'un plan détaillé du bâtiment. J'arrache la feuille plastifiée et la fourre dans ma poche.

Je déambule dans la section administrative. On se croirait en France : apparemment, le week-end, la plupart des services sont fermés. Je pousse la porte du bureau de la direction puis me ravise.

Inutile d'attirer l'attention. Inutile d'être prise pour une folle...

Je sors dans le parc et remonte la fermeture de mon blouson. Quelques flocons de neige virevoltent dans le vent. Personne aux alentours à l'exception de deux jardiniers qui brûlent un tas de feuilles mortes au loin. Ils ont laissé les clés sur leur van garé devant l'entrée. Je me faufile, entrouvre la porte latérale. La camionnette déborde d'outils de jardinage. Je m'empare d'une petite pelle en acier aux coins carrés avec un manche télescopique.

Ça fera l'affaire.

Je referme la portière sans faire de bruit. En m'aidant de mon plan, je contourne le bâtiment jusqu'à son extrémité ouest où, si j'en crois la carte, se trouve la salle des archives. Je repère une fenêtre plus basse que les autres. J'insère la tête aiguisée et tranchante de la pelle entre les battants, pousse de toutes mes forces jusqu'à ce que la fermeture cède. Enfin, je me glisse dans la pièce.

C'est une immense salle qui ressemble à une vieille bibliothèque dans laquelle on n'aurait pas mis les pieds depuis des années. Sur des rayonnages métalliques s'entassent des centaines de dossiers poussiéreux. Je me sers de la torche de mon téléphone pour parcourir le labyrinthe formé par les étagères et comprendre le système de classement. Il me faut plus de dix minutes pour mettre la main sur le dossier de Damian Montgomery. Je l'ouvre et le feuillette, survolant rapidement les différents documents qui restituent le parcours du jeune médecin : école de médecine à l'Université de Washington, résidanat à Seattle, divers stages

dans des hôpitaux de Portland et Vancouver...
À chaque étape, des lettres de recommandation
plutôt élogieuses vantant la « débrouillardise » du
jeune homme, son « empathie avec les malades »,
« l'acuité de ses diagnostics ». Damian avait exercé
deux ans au State Hospital de Lennox dans le service d'oncologie. Là encore, toutes les évaluations
étaient positives : « excellent médecin », « fiable »,
« intuitif »...

Sur une fiche administrative cartonnée, on avait
demandé à chaque membre du personnel de lister
les coordonnées des personnes chez lesquelles ils
pouvaient être joints en cas d'urgence. Damian
avait donné le numéro et l'adresse de ses parents
ainsi que celui d'une certaine Esther Kovacs.

Sa petite amie ?

Je plie la fiche et la glisse dans ma poche. Le
dernier feuillet concerne une demande de congés.
Elle est datée d'avril 1993 et précise que la direction
de l'hôpital a accordé à Damian Montgomery les
deux semaines de congé qu'il a sollicitées du 17
au 31 mai. Il n'en avait pas pris depuis le Noël
précédent.

Je referme le dossier sur la photo de Damian :
toujours la même bouille sympathique, les mêmes
yeux rieurs.

Je l'aime bien ce type.

La flic que je suis n'a pas besoin de davantage
pour commencer à « enquêter ». Je me souviens
de l'article de journal qui mentionnait sa date de
décès : une overdose, le dimanche 16 mai au soir.
Juste avant ses deux semaines de vacances. J'essaie
de reconstituer la séquence : l'épuisement dû à
la pression du travail, le relâchement et l'euphorie à la perspective de prendre enfin des congés.

Pour fêter ça, le mélange détonant d'héroïne et d'alcool. J'ai travaillé quatre ans aux Stups. J'ai déjà été confrontée à des overdoses d'héroïne. Je connais l'engrenage mortel : dépression respiratoire, coma, asphyxie totale. Damian devait être abstinent depuis quelque temps. Dans les cas de rechute, même des doses assez faibles peuvent être fatales.

Je repose le dossier et continue à déambuler dans le dédale des étagères qui portent des étiquettes : année 1995, année 1994, année 1993...

Je m'arrête devant ce rayonnage.

Ça ne nous rajeunit pas...

En 1993, j'avais 19 ans. J'étais en première année de fac de droit à Nice. Des souvenirs décousus de cette année-là remontent à la surface. Le prix Nobel de la Paix de Mandela, le premier mandat de Bill Clinton, la poignée de main historique entre Arafat et Rabin, ce roman de William Boyd, *L'Après-midi bleu,* que Sébastien m'avait offert en version originale, *La Leçon de piano* au cinéma, le *Unplugged* de Nirvana, *Everybody Hurts,* cette chanson de R.E.M. que j'écoutais en boucle sur mon *Discman.*

C'était il y a vingt ans, c'était hier...

Je cligne des yeux. Ne pas se laisser distraire. Se concentrer sur son enquête. Au milieu des dossiers, je repère un ouvrage, luxueusement relié. Ce que je crois être un livre est en réalité l'agenda du directeur de l'époque, un certain Mark Hoggart. C'est là que sa secrétaire, dans une belle écriture d'écolière, consignait ses rendez-vous et ses visites à l'extérieur. Alors que je feuillette le gros carnet sur la période couvrant la mort de

Damian, une mention attire mon attention à la date du 17 mai :

7 h 30 – Rdv avec le Dr Montgomery

Quelque chose ne cadre pas : pour quelle raison Damian aurait-il demandé un rendez-vous le premier jour de ses vacances ? L'horaire également est inhabituel. J'ai beau remonter dans le temps, je ne trouve aucune trace de rendez-vous pris aussi tôt. Mark Hoggart commençait invariablement sa journée à 8 heures. Ce rendez-vous avait manifestement été pris dans l'urgence. Mais à l'initiative de qui ? Était-ce Hoggart qui avait convoqué le médecin ou Damian qui avait sollicité cette entrevue avec sa hiérarchie ?

Le début d'une piste ?

Je quitte la salle des archives par là où je suis entrée. Il fait plus froid que tout à l'heure. La neige continue de tomber en tournoyant et commence à tenir au sol. En revenant vers l'entrée, je traverse le parking du personnel – une aire couverte de gravillons beiges. Ma chance : j'aperçois Molly Battagliola, mon infirmière préférée, en train de fumer une cigarette appuyée sur le capot d'un vieux break Volvo.

— C'est votre voiture ?

— Oui, c'est ma titine : 500 000 kilomètres au compteur et toujours vaillante !

Je désigne sa cigarette :

— Vous m'en offrez une ?

— N'y pensez même pas, ma belle...

— S'il vous plaît, Molly. Je ne suis plus une enfant.

Elle lève les yeux au ciel et me tend un paquet de tabac et un carnet de feuilles à rouler.

— Battagliola, c'est un nom d'origine italienne ?

Elle acquiesce :

— Sicilienne, c'est le nom de mon deuxième mari.

— Vous travaillez ici depuis longtemps ?

Elle recrache une longue volute de fumée que le froid fige quelques secondes, avant qu'elle ne se dissipe.

— J'ai vadrouillé entre plusieurs établissements de la région dans les années 1980 et 1990 puis j'ai suivi mon mari en Europe. Je ne suis de retour à Lennox que depuis deux ans.

— Vous connaissiez bien le docteur Montgomery ?

— Vous êtes du genre têtu, princesse, n'est-ce pas ?

Elle fouille malgré tout dans sa mémoire.

— Bien, c'est beaucoup dire, mais je m'en souviens comme d'un très gentil garçon. Un médecin respectueux de notre travail, à nous, les infirmières.

Je lèche le bord de la feuille pour refermer ma cigarette.

— Vous vous doutiez de son addiction à l'héroïne ?

— Pas le moins du monde, dit-elle en me tendant son briquet. Parfois, il me faisait penser à un adolescent : il jouait dans les bars avec son groupe de rock, il aimait faire la fête. Mais il était toujours sérieux dans son boulot.

J'allume ma tige puis je sors de ma poche la fiche cartonnée que j'ai subtilisée dans le dossier administratif de Damian :

— Esther Kovacs, c'était... sa copine ?

— Mais où avez-vous déniché ce papier, ma grande ? me coupe-t-elle.

J'élude sa question :

— C'était sa copine ?

Molly hoche la tête :

— Oui, je crois bien qu'ils étaient ensemble. Esther est la fille unique de Victor Kovacs, le patron du *General Store* sur la route des Quatre-Vents. À l'époque, elle était chanteuse dans ce fameux groupe de rock : Broken Coffee Machine.

Elle tire une dernière bouffée sur sa cigarette et écrase le mégot avec sa chaussure :

— Au début des années 1990, dans le coin, c'était la grande mode du grunge. Tous les garçons se prenaient pour Kurt Cobain et toutes leurs copines pour Courtney Love.

— Esther vit encore dans la région ?

— Elle a repris l'affaire de papa maman.

— Molly, j'ai un service à vous demander : est-ce que vous pourriez me prêter votre voiture pour quelques heures ?

— Non, princesse, ça, c'est impossible !

— Je vous en prie !

— Non ! Je ne veux pas d'histoires. J'ai besoin de mon boulot. Et puis, ça ne serait pas prudent. J'ai lu votre dossier : on ne conduit pas lorsqu'on a une tumeur au cerveau. C'est dangereux et vous le savez.

Je me rapproche d'elle, lui pose la main sur l'épaule :

— Je vais bien aujourd'hui, Molly. Regardez-moi : je pète la forme ! Mes examens ne commenceront pas avant lundi. Je vous ramène votre titine dans deux heures avec le plein d'essence.

Nouveau refus. Il faut que je parlemente encore pendant cinq minutes pour qu'elle consente à me donner ses clés.

— Appelez-moi si vous avez le moindre problème, promis ? demande-t-elle en insistant pour que je rentre son numéro de portable dans la mémoire de mon téléphone.

— Promis ! dis-je.

— Et embarquez cette pelle avec vous au cas où la neige se mette à tenir vraiment !

★
★ ★

4.

Je regarde l'hôpital qui rapetisse dans mon rétroviseur. Plus je m'éloigne, plus je trouve que le bâtiment, avec ses deux ailes gothiques, ressemble à une chauve-souris. Cela me donne des frissons. Pour me réchauffer, je pousse le chauffage, allume la radio et fais défiler les fréquences jusqu'à tomber sur une station de soul music.

Je n'ai pas menti à Molly. Même si je sais que ça ne durera pas, je me sens plutôt bien. Aussi bien que je peux l'être en tout cas. Ma maladie évolue d'une façon qui me déconcerte. Certains matins, je me réveille à demi paralysée, la vue basse, incapable de coordonner mes mouvements. La crise peut durer plusieurs jours. Puis l'engourdissement se fait moins prégnant et reflue lentement, m'offrant comme aujourd'hui un répit momentané.

Pas de GPS dans le tacot. J'allume mon téléphone portable et entre l'adresse que m'a indiquée l'infirmière. Rapidement, je quitte la forêt et retrouve l'Highway 900 qui file vers la ville.

Moins de vingt minutes plus tard, je me gare sur l'aire de stationnement du *General Store* de la route des Quatre-Vents. Un adolescent est accoudé à une pompe à essence en attente d'un client. Je lui donne les clés et lui demande de me faire le plein, puis je pousse la porte du magasin. Si, de l'extérieur, le bâtiment ressemble à un chalet de bois tout en longueur, à l'intérieur, c'est une véritable épicerie moderne. Mon ventre gargouille. J'ai une faim de loup. Dans l'un des frigos réfrigérés, je pioche un sandwich au pastrami et une bouteille de Budweiser. Je paie à la caisse et m'installe sur un tabouret. Derrière le comptoir en bois brut, je repère tout de suite celle que je cherche. Si on en juge par sa tenue, Esther Kovacs est restée bloquée au milieu des années 1990 : chemise à carreaux rouges et bleus, short en jean déchiré, collants opaques, Dr Martens violettes.

Je lui demande un paquet de cigarettes. Au moment de payer, je sors ma carte de flic et tente le tout pour le tout :

— Madame Kovacs, je m'appelle Constance Lagrange, je suis une policière française. J'enquête sur la mort de Damian Montgomery.

Elle me regarde sans agressivité :

— Ce sont ses parents qui vous ont engagée, n'est-ce pas ?

Devinant qu'elle me prend pour une détective privée, je m'engouffre dans la brèche.

— C'est exact.

— Sam et Lilly n'ont jamais fait le deuil de leur fils unique. Ils n'ont jamais cru que Damian soit mort d'une overdose.

— Et vous ?

Elle secoue la tête.

— Moi non plus. Damian n'était pas un ange. Il picolait sec et fumait pas mal d'herbe, mais il ne touchait pas à la dope. Surtout pas à l'héroïne en tout cas.

— Vous habitiez avec lui à l'époque ?

— Disons plutôt qu'il habitait chez moi, mais tous les week-ends, il rentrait à Portland se faire dorloter par ses parents.

— Le soir où il est mort, vous n'étiez pas avec lui ?

Elle plisse les yeux et se frotte les paupières.

— Après avoir passé le dimanche chez ses parents, il était revenu à Seattle par le train du soir. Moi, ce week-end-là, j'étais à Sacramento. Une de mes copines de fac fêtait son enterrement de vie de jeune fille. Je ne suis rentrée à l'appartement que le lendemain matin et c'est moi qui ai découvert son cadavre.

— Comment était son corps lorsque vous l'avez trouvé ?

— Allongé au sol avec une seringue dans le bras.

— Il n'y a pas eu d'autopsie ?

— Non. Les flics ont saisi quelques petites quantités d'héroïne dans la chambre, avec des médocs qu'il avait prétendument volés à l'hôpital : des antidépresseurs, des bétabloquants, des somnifères... Ça leur suffisait pour se faire une opinion. Ils n'ont même pas voulu m'écouter lorsque je leur ai parlé du cambriolage.

— Quel cambriolage ?

— Le disque dur de l'ordinateur de Damian et toutes ses disquettes étaient introuvables.

— C'était quoi comme bécane ?

— Un Atari 1040 ST. Il s'en servait surtout comme *home studio* : il y branchait sa guitare et enregistrait des maquettes de ses chansons.

L'Atari... Moi aussi j'en ai possédé un. Cadeau de Noël 1989 de mes parents pour mon frère et moi. On a passé des centaines d'heures à jouer à Captain Blood, Buggy Boy, Dungeon Master, Le Manoir de Mortevielle, Barbarians, Arkanoid...

— Je ne comprends pas, dis-je. En cas de vol, la police aurait dû enquêter. Pourquoi vous a-t-on refusé cette autopsie ?

Son regard se fait fuyant. Elle soupire et baisse la tête.

— Parce qu'à une certaine époque, c'est moi qui prenais de l'héroïne et tout le monde le savait. Les flics croient rarement les junkies...

— Ça, je vous le confirme. Cette héroïne, c'était la vôtre ?

— Non, justement ! Grâce à Damian, j'avais décroché depuis plus d'un an ! Mais tout le monde a cru que je l'avais entraîné dans mes mauvaises habitudes.

Je prends une gorgée de bière.

— Sur ce disque dur, il y avait quoi ?

— Des compositions de chansons, des cours de médecine, son mémoire d'internat...

— Cet ordinateur, vous l'avez gardé ?

— Vous délirez ou quoi ? J'ai revendu l'Atari lors d'une brocante il y a au moins quinze ans.

★
★ ★

5.

Retour à la voiture. Coup d'œil sur l'horloge du tableau de bord : bientôt 16 heures. J'ai promis de rendre la voiture à Molly, mais je suis flic et un flic ne tient pas ses promesses. Un flic va jusqu'au bout de son enquête. J'allume le moteur et démarre en trombe. La neige a cessé et la température n'est pas encore assez basse pour que la route soit verglacée. Il faut que je profite de cette fenêtre de tir pour rouler jusqu'à Portland.

Je vérifie la batterie de mon portable : elle est presque à plat. J'utilise ses dernières capacités pour entrer dans le GPS l'adresse des parents de Damian en espérant qu'ils n'aient pas déménagé entre-temps. Je visualise l'itinéraire puis je branche mon kit main libre. J'appelle Molly pour la rassurer et lui explique que j'aimerais garder son break un peu plus longtemps. Après m'avoir passé un savon, elle me donne sa bénédiction et me dit qu'une de ses collègues la raccompagnera chez elle après son service. Par SMS, elle me fait parvenir son adresse en me priant de ramener sa Volvo dans la soirée.

Les deux heures trente de trajet jusqu'à la banlieue nord de Portland passent comme un souffle. Ma maladie me paraît être un mauvais souvenir. J'écoute la radio, je chante à tue-tête en fumant des cigarettes et en me triturant les méninges.

Je tente d'assembler les pièces du puzzle de mon enquête. Au fond de moi, je ne crois pas tellement à cette histoire de disquettes volées. Les gens portent en eux une part sombre, cachée, inavouable. Après tout, sous ses airs angéliques, Damian se faisait peut-être régulièrement quelques shoots d'héro tout en piochant allégrement dans la pharmacie de son lieu de travail. Peut-être que le directeur de l'hôpital avait compris son manège et qu'il s'apprêtait à le dénoncer. D'où le rendez-vous pris dans l'urgence ce matin-là. La perspective d'un scandale qui avait dû secouer et déstabiliser Damian au point de lui faire s'injecter une dose de trop.

★
★ ★

Lilac Lane. Une large allée bordée de maisons identiques entourées de pelouses et de massifs de fleurs. Il fait nuit. Je gare la voiture le long du trottoir, regarde le nom sur la boîte aux lettres du n° 18 et pousse un soupir de soulagement. C'est bien la demeure des Montgomery, mais toutes les lumières sont éteintes. Je sonne. Une fois, deux fois. Pas de réponse. Pas d'aboiement. Pas de voisins. Avant qu'on me repère, je contourne la maison et enjambe la barrière.

Pas le genre de baraque à avoir une alarme.

Comme si on avait cherché à me faciliter la tâche, une échelle est couchée contre le mur. Je la redresse, escalade les barreaux jusqu'à parvenir au niveau de l'une des fenêtres à guillotine du premier étage. Un coup de coude et la vitre vole en éclats. Je fais coulisser la partie basse du châssis et me glisse à l'intérieur. La lumière faiblarde du lampadaire de la rue est suffisante pour me permettre d'examiner les lieux. Je suis dans la chambre parentale. Presque à tâtons, je sors dans le couloir et, comme si j'étais déjà venue ici avant, mes pas m'entraînent dans une pièce…

★
★ ★

Un véritable musée.

L'aménagement et la décoration de l'ancienne

170

chambre de Damian ont été conservés en l'état. Religieusement. Une vraie chambre de post-adolescent du début des années 1990. Dans un coin, une guitare électrique, un caisson de basses, une chaîne hi-fi. Sur les étagères, des centaines de CD empilés les uns sur les autres. Aux murs, des posters de groupe de rock *(Sound Garden, Alice in Chain...)*, l'affiche du *Silence des agneaux*, une photo spectaculaire d'un *dunk* de Mickael Jordan, une autre plus sensuelle de Pamela Anderson.

Toute une époque...

La mère Montgomery doit vivre dans l'illusion que son fils bien-aimé n'est parti que pour quelques jours et qu'il va ramener son linge sale le week-end prochain.

Je m'assois sur la chaise à roulettes. Devant moi, sur le grand plan de travail, un ordinateur et un moniteur. Je prends le risque d'allumer la lampe de bureau. Et je tente de comprendre. Pourquoi un deuxième ordinateur ? Même marque, mais pas le même modèle. Esther m'a parlé d'un 1040 ST. Ici, c'est un 520 ST, une version moins puissante ou plus ancienne.

Il paraît évident que Damian avait deux bécanes : une chez ses parents et une autre qu'il avait dû s'acheter plus récemment. Sur la table, je trouve une boîte de disquettes. Je tente d'allumer la machine. Un léger soufflement, un ronron enroué puis... un grand CLAC. Le bruit d'une ampoule qui lâche.

Merde...

Je ferme les yeux, m'efforce de discerner une logique dans tout ça. Damian a deux ordinateurs qu'il utilise indifféremment chez lui ou chez ses parents pour sauvegarder ses créations sur disquette. Le jour de sa mort, il est venu ici, dans cette chambre. Imaginons qu'il a commencé à travailler sur quelque chose. Une ébauche de dossier qu'il a rapporté avec lui à Seattle par exemple.

J'ouvre le premier tiroir. Celui dans lequel je mettrais mes travaux en cours. C'est un foutoir indescriptible : des stylos, une paire de ciseaux, une agrafeuse, des magazines, mais surtout des dizaines et des dizaines de feuilles : des photocopies annotées et recouvertes de stabilo.

Je *sais* que je viens de trouver quelque chose. Je sens une poussée d'adrénaline. Mon héroïne à moi…

Je rassemble les documents. Mon anglais est plutôt bon, mais je bute sur les termes médicaux. Au bout d'un moment, je comprends que ce sont les photocopies des dossiers de deux patients du State Hospital. Le premier, Charles Snow, 68 ans, décédé en avril 1993 d'une pneumonie. Le deuxième, Allan Lewis, 71 ans, décédé d'une crise cardiaque en janvier 92. Des patients que Damian avait croisés lors de ses gardes mais qui n'étaient pas hospitalisés directement dans son service.

Chaque feuille est annotée au stylo. J'essaie de déchiffrer l'écriture en pattes de mouche de Damian. Je m'arrête sur les termes surlignés du premier cas : « mort suspecte », « injection massive de digoxine ayant causé un arrêt du cœur ». Pour le deuxième patient : « injection massive d'épinéphrine », « le patient n'est pas décédé de mort naturelle ». Puis le même nom qui revient dans les deux cas, souligné avec rage :

« nurse Katherine KÖELER ».

★
★ ★

6.

— Katherine Köeler, bien sûr que je la connais !
C'est l'une des plus anciennes infirmières de l'hôpital !

Il est 22 heures 30. Emmitouflée dans une couverture, je suis assise sur le canapé du salon de
Molly Battagliola. Je suis frigorifiée. Sur le trajet
de retour vers Seattle, alors que la neige tombait en
grande quantité, le chauffage du break s'est déréglé
et s'est mis à cracher un air glacial. Heureusement,
ma nouvelle amie ne m'en veut pas trop. Elle m'a
même préparé un mug de chocolat chaud avec des
mini-marshmallows qui flottent à la surface.

J'étale les feuilles photocopiées sur la table basse
et lui explique :

— Je sais pourquoi Damian Montgomery a été
assassiné ! Il venait de démasquer un « ange de la
mort » : Katherine Köeler, une infirmière de l'hôpital qui injectait des substances à certains patients
pour simuler des arrêts cardiaques !

Molly regarde les annotations attentivement.

— Vous êtes certaine de ce que vous affirmez ?

— Je suis même certaine que si on fouille, on
découvrira d'autres morts suspectes. Et si vous me
dites que cette femme est toujours en activité, elle
peut encore sévir. Il faut prévenir la police immédiatement !

— Peut-être que vous avez raison, princesse. Je
vais rafistoler le chauffage de ma titine et nous
irons ensemble au bureau du shérif.

Elle enfile une grosse veste en duvet et sort sous la neige.

Je me lève, relace mes bottines et prends une gorgée de cacao. Ma tasse à la main, je me réchauffe devant le feu qui crépite.

Sur le manteau de cheminée, je regarde une photo du mariage de Molly. Les clichés sont récents : peut-être quatre ou cinq ans.

Il me semble reconnaître la Grèce ou l'extrême sud de l'Italie.

Une phrase me revient alors à l'esprit. Une phrase à laquelle je n'ai pas prêté suffisamment d'attention : « Battagliola est un nom d'origine sicilienne ; c'est le nom de mon deuxième mari. »

Il y a vingt ans, Molly ne portait donc pas ce nom-là.

Puis une image très nette s'affiche dans mon esprit. Celle du badge qui était épinglé à sa blouse la première fois que je l'ai vue :

K.M. Battagliola

Mes yeux se posent sur un cadre accroché un peu plus loin. Un diplôme d'infirmière que je déchiffre avec terreur :

L'école d'infirmières de l'Université de Washington
autorise par le présent diplôme
Mademoiselle Katherine Molly Köeler
à porter le titre d'infirmière diplômée d'État

J'en reste pétrifiée.

La porte claque derrière moi.

Je me retourne. Molly est déjà à moins d'un mètre. Ses traits sont méconnaissables, déformés par la rage, la colère, la haine.

Elle tient la pelle de jardinage qu'elle a récupérée

dans le coffre de la Volvo. Une pelle en acier aux coins carrés avec un manche télescopique qu'elle lève à bout de bras.

Une pelle en acier dont la tête aiguisée et tranchante s'abat sur moi comme la foudre.

Jean-Marie PÉRIER

Jules et Jim

Magnanime, Jules a donné sa soirée à son servi-teur philippin. La table est dressée sur la terrasse qui donne sur l'Oise. Il a veillé à ce que les agapes soient variées, généreuses, avec une touche cos-mopolite du meilleur effet, mais sans ostentation aucune, de manière à laisser penser à ses invités qu'il a peut-être tout préparé lui-même, le vrai luxe étant, comme chacun sait, celui qui n'a l'air de rien. Son manoir en est la meilleure preuve, avec ses pièces carrées propices aux feux de cheminée en hiver et son terrain qui descend jusqu'au fleuve. En bas du jardin aux arbres centenaires, il y a le banc que Jules a fait installer au bord de l'eau de façon à voir la lune s'y refléter lorsque le temps s'y prête. C'est même la première touche personnelle qu'il a apportée à cette propriété rachetée hors de prix à un notaire sidéré par la somme proposée.

Quand Jules veut quelque chose, il l'obtient.

Il n'est jamais aisé de recevoir ses amis lorsque, de tous, on est le plus riche. Il ne faut pas les écla-bousser de l'abondance du parvenu tout en s'offrant le plaisir d'afficher une certaine décontraction.

Ils viendront tous ce soir, ses compagnons de jeunesse, ceux du temps où les projets étaient incertains, où ils étaient tous à égalité face à un avenir qui leur semblait lointain.

Ils seront huit à table, chiffre idéal pour que la conversation reste intime, trop de convives transformant vite les échanges en assaut théâtral.

Il y aura Billy et sa femme Colette, ceux-là ne posent jamais problème, ils travaillent dans sa banque, aussi savent-ils plaisanter en gardant les distances.

Il y aura Jérôme, le producteur de films et Suzanne, sa compagne actrice, dont le succès repose évidemment sur sa carrière à lui. Ils forment cependant un vrai couple, de ceux qui tiennent par un amour sincère cimenté néanmoins par un sens aigu des réalités.

Il y aura Babette et Corinne, ce couple de lesbiennes rencontrées durant les événements de mai 1968, dont l'attitude et la situation particulière confèrent à Jules une ouverture d'esprit à laquelle il aspire. Babette possède un franc-parler digne de ses rondeurs et Corinne a les traits fins et le regard plein d'esprit, de sagacité et de perversion.

Et puis il y a LUI, Jim, celui avec lequel il a partagé ses seuls moments de folie, ses voyages en Inde, du temps où il ne reculait pas devant les joyeux effets du Ganja de Peshawar. L'ami des fous rires, des égarements, des derniers instants d'insouciance avant que l'obsession de la réussite ne l'emporte sur les plaisirs du temps perdu.

Ils avaient pourtant réussi à garder contact pendant les années d'ascension de Jules dans l'univers de la finance, alors que Jim continuait son parcours hasardeux de dilettante parisien. Ils s'étaient également connus en 68, mais alors que Jim s'affairait gaiement sur les barricades, Jules buvait des coups

chez Castel en attendant que les énervés de la Sor-
bonne se calment. Deux destins se dessinaient qui
n'empêchaient pas les deux amis de se retrouver
toujours, hors du temps et des remous de l'époque.
Ils aimaient encore les mêmes musiques, les mêmes
boissons, les mêmes virées inutiles. Quel dommage
de se mettre à aimer la même femme.

Constance était une beauté qui savait susciter les
passions tout en tenant à distance ceux qui s'atta-
chaient à elle, conservant ainsi une liberté qui les
rendait fous. Bien sûr, c'était Jim qui avait su
séduire cette perle rare. Pour la première fois, Jules
voyait son ami baisser la garde, ce dernier étant
amoureux comme un adolescent. Lui si facilement
narquois et toujours en contrôle, lui qui maniait
si bien l'esprit sans oublier de rire de lui-même,
se trouvait désarmé par le regard noisette de la
belle Constance. Il advint évidemment ce qui devait
arriver. Jules, ne pouvant supporter que quiconque
lui échappe, avait, après des mois de secrets et
d'intrigues, réussi à séduire la jeune femme. Partagé
entre la terreur de perdre cette amitié irremplaçable
et l'obsession forcenée de faire plier l'objet de son
désir, il savait qu'il avait brisé à jamais l'estime
que Jim lui portait. En lui arrachant Constance,
Jules a pour toujours abandonné sa part de légèreté,
ses errances de jeune homme. Il est ensuite entré
d'un seul coup dans ce monde des puissants qui
allait le mener vers une réussite sociale incontestable, de celles qui, un jour ou l'autre, l'auraient
de toute façon séparé de Jim. En lui volant cet
amour-là, Jules était convaincu d'avoir perdu son
meilleur ami pour toujours. Il ne s'en était jamais
vraiment remis, car Constance faisait partie de ces
personnes que l'on n'attrape pas, et il l'avait perdue

à son tour. L'affaire eût pu paraître banale, mais sa nouvelle situation sociale l'avait éloigné de Jim et il n'avait jamais osé renouer avec ce compagnon des jours heureux, tant il était honteux d'avoir trahi sa confiance.

C'était sans compter sur Babette, la bonne pâte, toujours prête à arranger les bidons pour que la vie soit gaie. Après des mois d'insistance, elle a donc réussi à convaincre Jim d'oublier ces années perdues et de venir ce soir au dîner de retrouvailles auquel Jules les a conviés.

Emballé par la soirée à venir, Jules n'en est pas moins inquiet. Comment Jim va-t-il se comporter ? Connaissant son élégance naturelle, il sait qu'il ne parlera de rien et c'est finalement ce silence que Jules redoute. Une bonne engueulade, voire recevoir son poing dans la figure, il est prêt à tout pour crever l'abcès. Cependant il sait que son ami se taira en présence des autres, aussi espère-t-il le prendre à part un moment afin de lui parler.

Attrapant un seau à glace, il y plonge une bouteille de champagne, se saisit de deux verres en cristal, d'une petite nappe et de la boîte de cigares en acajou qu'il garde pour les amis, ayant lui-même cessé toute fumerie depuis longtemps déjà. Il descend en courant vers le banc près du fleuve et après avoir posé le seau à glace, il étale la nappe sur la table basse, dispose les verres et la boîte de cigares comme il se doit puis, se souriant à lui-même, il réalise qu'il est en train de préparer les choses comme pour un rendez-vous galant. C'est qu'elle est si ténue la différence entre l'amour et l'amitié…

Billy et Colette arrivent alors que Jules remonte un peu essoufflé.

182

Ils ont apporté une boîte de chocolats à laquelle Jules fait semblant de prêter attention, les yeux rivés sur la porte d'entrée. Lorsqu'elle s'ouvre, Jules sent son cœur battre, mais c'est Suzanne et Jérôme qui entrent dans le salon. Ce dernier lui tend, comme promis, le coffret des CÉSARS qu'il reçoit tous les ans. Jules le remercie chaleureusement en posant sur une commode le paquet de ces quatre-vingt-dix films qu'il ne regardera peut-être jamais. Embrassades, conversation larvée, champagne.

Enfin Babette apparaît, un gros bouquet de roses dans les bras, suivie de Corinne qui tient Jim par l'épaule.

Jules prend maladroitement les fleurs sans quitter Jim des yeux. Leurs regards se croisent. Sans mot dire, chacun évalue ce qui a changé dans l'apparence de l'autre. Le léger embonpoint de Jules contraste avec la svelte silhouette de Jim. Peut-être les années l'ont-elles un peu voûté, c'est tout. Leur accolade n'indique rien et Jim se contente de regarder la maison en détail, comme si chaque objet allait lui livrer quelque indication sur son ancien ami. Il n'est ni chaleureux ni froid, il n'est rien. Jules s'attendait à cette retenue mais il n'en est pas moins désarçonné. Conduisant ses convives à la table, il déclare de la façon la plus décontractée possible :

« J'ai préféré que nous nous passions de personnel, ce sera plus intime, non ? Installez-vous comme vous voulez, je n'ai pas fait de plan de table… » dit-il avec un rire forcé.

Jim regarde le buffet pantagruélique en retenant un sourire. Son pote n'a pas changé, il faut qu'il en jette comme le font souvent les nouveaux parvenus. Et tout en retirant sa veste, Jim s'assoit de l'autre côté de la table, exactement en face de Jules. Celui-ci ne peut s'empêcher de remarquer que les poignets de ses manches de chemise sont légèrement usés.

Babette lance des regards inquiets vers Jules, attendant qu'il se décide à lancer la conversation. Billy ose un avis prudent sur la vie politique, sans parvenir à intéresser quiconque. Seule Colette, l'épouse docile, rit à ses propos. Babette tente à son tour d'amorcer un lien entre les deux anciens amis.

« Alors, ça vous fait quel effet de vous revoir enfin ? » dit-elle avec une brutalité involontaire.

Jules prend néanmoins la balle au vol.

« C'est vrai, ça fait vraiment du bien qu'on soit tous là… Et toi Jim, que deviens-tu ? »

Sans aucune expression particulière, Jim réplique : « Je me défends ! »

Cette réponse vague ne détend pas vraiment l'atmosphère.

Jérôme se lance alors dans une explication compliquée sur l'importance de la date de sortie de son prochain film. Il étale une stratégie mûrement réfléchie sur l'importance de la publicité si l'on veut susciter la curiosité et l'envie de spectateurs trop gâtés par les délires hollywoodiens, comme s'il existait un quelconque stratagème propre à s'assurer le succès. Quant à Suzanne, elle est actrice, alors comme d'habitude, elle parle d'elle-même.

Il n'y a rien à faire, ils ont beau tenter, l'un après l'autre, d'emmener la conversation vers une légèreté qui ferait de cette soirée un moment drôle, chaleureux, un souvenir en somme, le dîner ne décolle pas. Jim boit plus que de raison et ses silences musèlent toutes les énergies, chacun autour de la table ressentant le poids de l'absence tacite de Constance, l'amie si belle, si gaie, si loin désormais et pourtant si présente, au point qu'aucun d'eux, ce soir, n'ose prononcer son nom.

Une fois les bouteilles vidées, les mets grignotés, fatigués des souvenirs ressassés et des sourires crispés, l'assemblée hésite à mettre un terme à ce qu'il faut bien reconnaître comme une soirée ratée. Lorsque Corinne se lève enfin, rappelant à Babette un rendez-vous prévu tôt le lendemain matin, le soulagement est presque palpable.

Adieux rapides, étreintes simulées, Jules regarde ses amis disparaître chacun dans leur voiture. Jim lui lance un triste sourire en montant dans sa Peugeot fatiguée. Un peu de poussière dans l'allée sombre et puis plus rien.

Après avoir éteint les bougies une à une, Jules s'assoit à la table en admirant la lune qui éclaire son jardin. Dieu sait s'il aime ce moment de silence privilégié, quand la nature se fige comme pour remercier la journée passée. Mais le cœur n'y est pas, il s'en veut de n'avoir pas su faire renaître cette connivence qui jadis le liait tellement fort à son ami. Mais comme il a horreur de se laisser glisser vers des langueurs nostalgiques, Jules se lève et décide d'aller se coucher.

Soudain on frappe à l'entrée des coups dont l'écho résonne dans le hall. Pourtant habitué à la solitude, il ne peut réprimer un soupçon d'angoisse en ouvrant la porte.

Et Jim est là debout qui lui sourit.

« On ne va pas se quitter comme ça », lui dit-il en l'étreignant vraiment cette fois.

Jules en est tout ému. Il entraîne Jim par le bras en indiquant la terrasse.

« Viens. Allons boire un coup. » Puis sans l'attendre il descend dans le jardin en indiquant le banc près du fleuve. « On sera mieux là-bas ! »

Arrivé près du seau plein à ras bord de l'eau des glaçons, il fait sauter le bouchon de la bouteille tout en jetant un regard à Jim, puis il verse le champagne dans les verres d'un geste désordonné en attrapant la boîte en acajou.

« Tu veux un cigare ? »

Jim acquiesce en s'asseyant.

« Tu me fais la totale, dis donc ! »

Jules s'assoit à ses côtés, il a vraiment l'air ravi. Il lève son verre pour trinquer à son tour en regardant Jim qui allume son cigare.

« C'est vraiment bien que tu sois revenu. À quoi on boit ? »

Jim sourit en levant son verre.

« Mais à Constance, bien sûr ! »

Jules se crispe et Jim éclate de rire.

Et, comme par enchantement, voilà que leur conversation interrompue depuis des lustres reprend comme s'ils s'étaient quittés la veille.

Jim assure qu'il a depuis longtemps pardonné la trahison de Jules ; qu'en les quittant tous les deux, Constance aurait dû les rapprocher au lieu de perdre bêtement ces années à s'en vouloir. Aimer la même femme n'est guère surprenant lorsque deux amis partagent une telle connivence. Constance s'était certes enfuie en emportant leur jeunesse mais, au fond, elle leur avait laissé de si beaux souvenirs qu'ils n'auraient jamais dû se perdre, ne serait-ce qu'en son nom.

Sur la rive d'en face, deux biches éclairées par les

rayons de lune longent le fleuve calmement. Jules et Jim cessent toute conversation et les regardent disparaître dans la pénombre.

« À cette saison, souvent elles passent… » chuchote Jules, toujours conscient de la rareté de ce moment privilégié.

Les reflets blanchâtres sur le fleuve leur rappellent leur dernier voyage en Inde, les conversations débridées au bord du Gange, les fous rires enfumés, les projets irréalisables et ces moments uniques où ils rêvaient d'un avenir commun qui ne les mènerait nulle part, juste pour le plaisir de voir le monde ensemble.

Le grand virage de leur relation datait finalement du jour où Jules avait acheté « La petite folie », cette maison des bords de l'Oise l'ayant propulsé officiellement en « puissance invitante » de leurs joyeuses soirées.

En quelques mois, ils étaient passés de leurs conversations intimes à des dîners à plusieurs, en compagnie de Parisiens célèbres ou influents qui n'auraient pour rien au monde raté ces soirées à la table de Jules, et si ce dernier drainait les pontes de la politique ou de la finance, il était clair que les célébrités des arts et du spectacle ne venaient que pour Jim.

Constance n'avait finalement été que le point de non-retour.

Ce n'était donc ni une femme ni le hasard qui les avaient séparés. Simplement, l'un s'était fixé une ambition, l'autre n'en n'avait jamais eu.

Ce soir ils pouvaient enfin s'avouer leur regret de ces années perdues, tout en trinquant à d'éventuels projets d'avenir dont ils n'étaient dupes ni l'un ni l'autre. Conscients qu'ils ne seraient plus jamais les mêmes, ils disaient adieu à leur passé tout en sachant que s'il suffit d'une seconde pour mourir, il n'en faut guère plus pour se perdre à jamais.

La nuit est vite passée et lorsque les premières lueurs du jour se décident à poindre, les deux amis savent déjà qu'ils ne se reverront pas. Mais le jeu en valait la chandelle, s'ils se quittent ce matin, c'est par choix de préserver les souvenirs sans prendre le risque de les confronter à ce qu'ils sont devenus.

Dernière accolade, derniers regards.

Lorsque les feux rouges de la voiture de Jim disparaissent derrière les grilles du parc, Jules va aussitôt se coucher afin de ne pas céder à la sourde mélancolie dont il sent qu'elle ne le quittera plus.

À 7 heures du matin, l'insidieux bourdonnement de son portable réveille Jules. Il sent que trop de boissons la veille et deux heures de sommeil lui préparent une journée infernale. Les yeux fermés, une enclume sur le front, il écoute sans bien comprendre les propos de Babette en larmes au bout du fil.

« On n'a pas voulu te réveiller en pleine nuit...

En sortant de chez toi hier soir, Jim a eu un accident. On venait de sortir, il nous a doublées à fond, il devait avoir trop bu... On n'aurait jamais dû le laisser conduire... »

De quoi parle-t-elle ? Jim l'a quitté moins de deux heures plus tôt...

Babette parle fort sans discontinuer.

« ... Un kilomètre plus tard, on a vu sa voiture écrasée contre un arbre. Arrivé à l'hôpital, c'était fini. Les médecins n'ont rien pu faire pour le sauver. »

Jules ouvre péniblement les yeux, son cerveau ne peut pas suivre.

« Mais quand a-t-il eu cet accident ? » demande-t-il.

« Mais hier soir. Peut-être dix minutes après t'avoir quitté ! »

Jules se lève en laissant son téléphone sur son lit. Il ne prête pas attention à la voix nasillarde de Babette qui l'appelle.

Sans même recouvrir son corps nu, il descend l'escalier qui mène vers le salon. Agressé par la lumière du jour, il traverse la terrasse et descend en courant vers le banc près de l'Oise. Qu'est-ce que Babette raconte, il n'a pas rêvé, c'est bien avec Jim qu'il a passé la nuit. Sur la table basse, les verres sont là à moitié vides comme ils les ont laissés et, dans le petit cendrier d'argent, le mégot du cigare atteste de leur présence récente.

Jules s'assoit sur le banc, sa peau frémit au contact du bois humide, à moins que ce ne soit d'effroi. Il n'a quand même pas rêvé…

« Les rêves ne fument pas le cigare », se dit-il en souriant à l'idée que, par la force de la pensée, Jim ait pu venir le narguer une dernière fois.

Sur la berge en face, les deux biches font le chemin inverse sans prêter attention à l'homme nu qui les regarde, hébété.

Il est vrai qu'à cette saison, souvent elles passent…

Tatiana de ROSNAY

Le Parfait

Parfait

1. *(adjectif) Qui réunit toutes les qualités, qui est sans défaut.*
2. *(nom masculin) Crème glacée au café moulée en forme de cône.*

Monique Dancygier est occupée, sa fille se marie, cet après-midi même, le temps file à une vitesse, Seigneur, aura-t-elle la possibilité de tout faire avant 16 heures ? L'organisation de ce mariage, une catastrophe, il n'y a pas d'autre mot, une catastrophe, et ce depuis le début. Monique en a perdu trois kilos, hélas pas aux endroits qu'elle aurait aimés, comme ses hanches, ou son ventre, ou encore ses bras, ce sont ses traits qui se sont creusés davantage, sa figure paraît encore plus chevaline, tout en longueur.

Elle tente de se calmer. Respirer normalement. Si Monique commence à s'angoisser dès maintenant, alors que cette journée vient à peine de commencer, elle va se sentir mal, elle aura cette boule au ventre, les joues rouges et cramoisies qui vont inévitablement faire penser à la ménopause, sujet tabou et ingrat, donc ne pas s'attarder sur les choses déplaisantes, et avancer. Oui, avancer. Elle essaye désespérément de plaquer une mèche sur son front luisant, afin d'atténuer la forme oblongue de son visage, mais c'est impossible.

Ce repas, ce fichu repas, ce satané repas, les invités se douteront-ils un instant du calvaire que cela a été pour Monique de choisir, de commander, de s'assurer que le menu convenait à tout le monde, à sa fille, son gendre, la belle-famille, et surtout à Mamie ?

Parce qu'il faut bien parler de Mamie, sa belle-mère, bientôt quatre-vingt-dix ans, sourde comme un pot, petit bout de femme ratatinée et ridée, édentée, affublée d'une perruque frisée qu'elle ne quitte jamais, même pour dormir. Mamie n'aimait que son fils, feu le mari de Monique, Norbert.

Norbert s'en est allé il y a déjà dix ans, un accident idiot, un pneu crevé sur l'autoroute, une voiture qui se retourne, une vie qui s'arrête. Il a bien fallu élever Mathilde, continuer à travailler à la bibliothèque du quartier, et supporter sa belle-mère. En prenant de l'âge, toujours pas remise de la perte de son fils chéri (un homme gentillet, aussi énergique qu'un raton laveur en hibernation), sa belle-mère est devenue une caricature d'elle-même, un tyran miniature aux allures de momie desséchée qui fait trembler ses voisins, ses petits-enfants, ses neveux, ses nièces, sa femme de ménage, son banquier, son coiffeur, son dentiste, son kiné. Il n'y a plus guère que Monique pour l'écouter patiemment, plier l'échine, ne pas broncher quand la foudre s'abat sur elle, ce qui arrive souvent, parvenir à maintenir ce sourire crispé, mais à sourire tout de même.

Pour les préparatifs du mariage de Mathilde, Mamie s'en est donnée à cœur joie, émettant des hauts cris, s'opposant à chacune des initiatives de Monique. Elle a mis son grain de sel partout dès qu'elle le pouvait, avec un sadisme évident, et Monique, lasse, a cédé sur tout, a déposé les armes, a accepté les choix de Mamie, a renoncé à ses idées, allant jusqu'à constater, courageusement, (mais comment faisait-elle, quel altruisme démesuré !) que cette guéguerre ridicule faisait sûrement du bien à sa belle-mère, la rajeunissait, la sortait de sa torpeur, lui insufflait une nouvelle ardeur, aussi insupportable que cela puisse être.

Mamie a donc repris la main. Les gens se rendent-ils compte un seul instant du travail que cela demande à une femme, seule, âgée (donc, elle-même, Mme Dancygier mère), d'organiser un repas de noces chez sa bru pour deux cents personnes ? Non, non, ils ne se rendent compte de rien, hurlait-elle à l'oreille de Monique, ils viennent, ils sifflent le champagne comme si c'était du cidre, ils parlent fort, ils rient, se trémoussent, critiquent tout, de la robe de mariée jusqu'à la cravate du beau-père, se fichent de tout, piétinent les fleurs, saccagent le gazon avec leurs talons aiguilles, il y en a même qui vomissent dans un coin quand ils ont trop bu, et que dire de ceux ou celles qui laissent les toilettes dans un état effrayant. D'ailleurs, Mamie a prévu le coup, n'est-ce pas, elle a fait venir des toilettes de chantier, des tinettes hideuses que Monique a dû décorer avec des rubans et du papier crêpe, et les invités iront se soulager là, c'est décidé.

Le prénom de Mamie est Violette, mais personne ne l'appelle ainsi. Monique en est venue à détester ce prénom, alors qu'il est si léger, si fleuri, si féminin. Toutes ces choses que Mamie n'est pas. Le fut-elle un jour ? Les moments les plus pénibles, les plus épuisants, ces moments où Monique n'avait qu'une envie, rentrer chez elle, s'effondrer dans son canapé, pleurer, oui pleurer comme une gamine, une gamine prise en faute alors qu'elle n'a jamais rien fait de mal, les instants les plus douloureux ont été ceux où il a fallu négocier le menu. Tous paraissaient satisfaits des mets que Monique avait soigneusement choisis : *Assiette de foie gras de canard, médaillon de lotte à la citronnelle ou filet de veau sauce morilles, assiette aux trois fromages,* oui, tous étaient enchantés, sauf Mamie qui a donné son avis à la dernière minute.

Mamie a fait une fixation sur le dessert. Une véritable obsession. Un combat de tous les instants.

Mathilde et Arnaud se seraient contentés de la pièce montée. Ils trouvaient cela un rien désuet. Leurs amis apprécieraient c'est certain. Mamie s'est arc-boutée, a tempêté, postillonné, pour clamer haut et fort qu'il fallait autre chose pour accompagner la pièce montée.

Il fallait, selon la vieille dame, un parfait au chocolat.

Elle n'a pas voulu entendre parler du fraisier et son coulis de fruits rouges, de la charlotte aux poires, du gâteau trois chocolats et sa crème anglaise, elle n'avait que ce mot à la bouche, le parfait.

Elle a martelé que ce dessert serait le dessert idéal de la noce de sa petite-fille, et si on ne le commandait pas, elle ne viendrait pas.

— Mais c'est ridicule, s'est exclamée Mathilde, Mamie ne va quand même pas faire tout un flan pour une histoire de parfait !

Plus on a essayé de l'amadouer, plus Mamie s'est braquée. Monique s'est même demandé d'où venait cette frénésie du parfait. Elle n'avait pas souvenir que Norbert en raffolait et n'avait aucune récollection de Mamie en confectionnant autrefois. Probablement une lubie de vieillarde acariâtre. Alors, de guerre lasse, Monique a accepté que la pièce montée soit servie avec un parfait au chocolat. Mais quelle complication supplémentaire ! Comme le parfait se doit d'être glacé, et qu'il faisait chaud, en ce mois de juin, que la maison de Monique n'est pas immense, qu'elle n'a pas d'innombrables frigidaires, il a fallu s'organiser avec le traiteur.

Le traiteur, justement, qui vient d'arriver, qui commence à stocker et arranger les plats et chauffe-plats, tandis que toute une brigade s'active à dresser les tables. Monique transpire déjà rien qu'en pensant à ses placements, ces cartons qu'il va falloir déposer sur l'assiette de chaque convive. Le casse-tête que cela a représenté : ne pas mettre M. Untel à côté de Mme Trucmuche, composer avec ceux qui votent à droite et ceux qui votent à gauche, ménager les susceptibilités. Une vraie migraine. Mais avant tout cela, donc, il faut s'habiller.

Monique a prévu une tenue, un tailleur rose saumon qu'elle a acheté la semaine de l'annonce des fiançailles de sa fille. Dès qu'elle a su, elle est partie à l'assaut des grands magasins, ventre à terre, afin d'être prête pour le grand jour. Encore une épreuve.

Quelle tristesse de vieillir, de perdre sa ligne, de devenir cette dame engoncée, boudinée dans un tissu trop brillant, elle a soupiré en se tortillant devant la glace, incertaine, mais, finalement, elle a décidé de le prendre. Et voilà qu'aujourd'hui elle se dandine à nouveau pour essayer de rentrer dans la jupe, mon Dieu, comment cela est-il possible qu'elle ait pu grossir du ventre, des hanches à ce point, alors que son visage s'est tellement creusé ? Quelle injustice ! Et cette coiffure, ce brushing qui ne tient pas. Pourtant, là aussi elle a pris ses précautions, elle a été chez le coiffeur hier, elle y est restée tout l'après-midi, pour une couleur, afin de masquer ces cheveux blancs. En se contemplant dans le miroir, avec cette coiffure plate, ce reflet acajou qu'elle déteste, ce tailleur rose qui lui donne des airs de gros bonbon, Monique a envie de pleurer. Et pour couronner le tout, pas moyen de trouver ses boucles d'oreilles perlées.

Ça y est. Ça commence. Monique Dancygier perd tout. Depuis sa plus tendre enfance, elle perd un objet par jour. Parfois c'est grave. Parfois moins.

Parfois les gens gloussent. Parfois pas du tout.
Petite, à l'école, elle perdait son cartable, sa trousse,
ses chaussons de gym, son sac de piscine, l'argent
de la cantine, le stylo de sa camarade de classe.
Avec l'adolescence, ça s'était encore gâté. Son cerveau persistait à ne pas enregistrer les objets. Elle
égara l'appareil dentaire qu'il fallait mettre chaque
soir, le manteau préféré, noir en fausse fourrure,
de sa meilleure amie dans une boîte de nuit. Plus
tard, en vacances avec des amis, elle oublia ses skis
dans un téléphérique.

On ne peut plus dénombrer la quantité de clefs
que Monique Dancygier a perdues. Les siennes,
et celles des autres. Le nombre de valises lais-
sées dans un train. De sacs dans un taxi. De por-
tables dans des poches. Quand elle a rencontré
son futur mari, elle n'a pas osé le lui avouer, se
disait que de toute façon il allait s'en rendre compte
lui-même. Ce fut le cas, juste après les fiançailles.
Sa future belle-mère (la rigide Mamie) avait choisi
une bague de fiançailles imposante, un brillant et
des saphirs tout autour, projetés en hauteur telle
une excroissance. La bague était trop grande, et
Monique redoutait de la perdre, mais au lieu de le
dire tout de suite, elle n'avait pas osé, tant Mamie
était impressionnante et autoritaire, elle s'était dit
qu'elle ne la porterait pas tous les jours, qu'elle
s'occuperait de la faire rétrécir après le mariage.
Monique avait donc caché la bague chez elle, certaine d'avoir déniché la planque idéale antivoleur.

Avec le temps, Monique avait oublié bien entendu
où se trouvait la cachette. Elle avait tenté d'en parler
à Norbert, sans oser insister. Les mois passaient. Il

lui avait dit un soir : « Mais tu ne portes jamais ta bague de fiançailles ? » Elle avait bredouillé : « Si si, mais j'avais mon cours de gym. » De jour en jour, Monique est parvenue à inventer des excuses. Cela n'a pas duré. Elle a bien été obligée de lui avouer la vérité. Évidemment, il n'a pas été content. Il a cherché la maudite bague partout, retourné toutes leurs affaires. En vain. Il était consterné. Monique ne savait plus où se mettre. Ils ont annoncé la nouvelle à Mamie qui a pincé la bouche et qui l'a toisée d'un air furieux.

Voici le début officiel des hostilités entre Mamie et Monique. Les années se sont écoulées et plus personne n'a parlé de la bague. Cela est resté un sujet tabou. Trois ans plus tard, en déblayant la penderie, Monique est tombée sur une vieille paire d'après-ski. Elle les a jetés dans la pile des choses qu'elle donnerait à une association. Sa fillette Mathilde, trois ans, s'est amusée avec, elle les a chaussés, fait quelques pas en gloussant, puis les a enlevés. Un petit objet emballé de papier de soie est tombé d'une des bottes. Monique a eu un coup au cœur. Sa bague de fiançailles ! Elle dormait là depuis quatre ans.

Il y a pire, cependant. Ce jour où elle est allée faire les courses dans une grande surface. Un été, pendant des vacances en Bretagne. Mathilde, six ans, était assise dans le Caddie. Monique a rangé les courses dans la voiture, et elle est rentrée dans la maison de location à une demi-heure du supermarché. Norbert rentrait de son jogging. Il a aidé sa femme à déballer les courses, à les ranger, puis il a dit : « La petite dort ? Je ne l'entends pas. » Monique a senti son visage se vider de son sang.

Elle avait oublié Mathilde dans le Caddie devant le centre commercial. Norbert a gémi : « Mais quelle mère est capable de faire ça ? » Elle a cru mourir. Norbert est parti en trombe, en la laissant plantée là. Il est rentré avec Mathilde qu'on avait goinfrée de bonbons et qui ne semblait pas avoir souffert de sa mésaventure.

Sa fille. Sa fille qui se marie. Ça fait un choc tout de même. À force de se noyer dans ses histoires d'organisation et de menu, de pièce montée et de parfait, elle en a oublié l'essentiel : le mariage de Mathilde.

Tout n'a pas toujours été facile avec sa fille. Après la mort accidentelle de son père, celle-ci s'est montrée difficile, une adolescente rebelle avec tout ce que cela pouvait comporter de problèmes, de soucis, de tracas. Monique a passé beaucoup de temps à aller voir les professeurs, à leur parler de sa fille, à écouter les doléances, effronterie, manque de travail, provocations, insolence. Le plus surprenant dans tout cela, c'est que Mathilde est devenue une jeune femme formidable. Elle n'a rien de la mollesse placide de son père ni du caractère détestable de sa grand-mère, elle s'est façonné une personnalité qui n'appartient qu'à elle, elle est libre. À quatre pattes, en train de chercher les perles sous son lit, Monique repense à ce que Mathilde lui a dit, pas plus tard qu'hier soir.

— Pourquoi tu t'embêtes avec cette histoire de dessert, maman ? Ne te laisse pas terroriser par Mamie. Tu vois bien qu'elle fait peur à tout le monde. Et surtout à toi. Pourquoi Mamie t'impressionne tant, pourquoi cette histoire de parfait te met dans un état pareil ? Je me fiche bien qu'il y ait un parfait au dessert ou pas. Tout ce que je veux, c'est que les gens soient heureux et qu'on fasse une belle fête.

Tout en cherchant ses perles, Monique se remémore ces mots de sagesse, ces mots d'une grande maturité dans la bouche de quelqu'un de vingt-cinq ans. Déjà. Comme elle est loin la petite fille oubliée sur le parking. Impossible de mettre la main sur ces satanées boucles d'oreilles. Tant pis, elle mettra ses créoles dorées. Elle se sent ridicule dans ce tailleur rose. Elle décide de l'enlever.

Alors qu'elle se bat avec la jupe, on frappe à sa porte. Elle se fige.

— Oui ?
— Excusez-moi de vous déranger, madame Dancygier, c'est le traiteur. Nous avons besoin de faire le point avec vous.
— Oui, oui, j'arrive, dit-elle.

Monique enfile une tunique grise, assez stricte, qui efface ses rondeurs. Ce n'est pas très habillé. Ni très sophistiqué, mais il est trop tard.

La cuisine est envahie de cartons, de plats, d'assiettes, de verres, une véritable ruche. On peut à peine s'y frayer un passage. Les parfaits ont été rangés dans d'énormes glacières qui prennent une place folle. Monique soupire. *Ah, ces parfaits.* Monique cherche à présent son portable.

Elle voudrait envoyer quelques SMS, à sa fille, à Mlle Pichon, la dame qui s'occupe de Mamie, pour préciser à quelle heure arrive cette dernière.

Pas de portable. Elle se rend compte qu'elle a dû le laisser dans la cuisine et que maintenant, il se trouve noyé dans la masse de glacières et de cartons. Elle n'a plus qu'à se rendre à l'église, attendre devant, les invités et la noce finiront bien par arriver. Mais elle ne retrouve pas non plus les clefs de sa voiture. Bon sang, quelle journée ! Et quelque chose lui dit que ce n'est pas fini.

— Vous allez bien, madame ? demande le traiteur, inquiet de la voir tourner en rond comme un insecte affolé.

— J'ai perdu mes boucles d'oreilles. J'ai perdu mon portable. J'ai perdu mes clefs de voiture. Et cette phrase qui arrive à une vitesse folle, qu'elle n'a pas la possibilité de réprimer tellement elle fuse, j'aimerais tant perdre ma belle-mère.

Le traiteur éclate de rire, un bon rire franc, sincère, et Monique rit aussi, à gorge déployée. Elle doit se tenir au frigidaire tant elle glousse, elle en pleure, le traiteur aussi, il manque de s'étendre de tout son long dans une rangée de parfaits, se tient les côtes, suffoque.

C'est un grand gaillard d'une cinquantaine d'années, avec une tignasse poivre et sel et des yeux très bleus. Sa corpulence indique qu'il est un bon vivant.

Un coup de klaxon péremptoire les ramène à l'ordre. C'est Mlle Pichon, garée devant la maison de Monique, avec Mamie à l'arrière, telle une impératrice d'un autre temps. Monique s'assied à côté de sa belle-mère, dont le maquillage s'est infiltré dans chaque ridule de son visage parcheminé, lui donnant l'aspect d'un minuscule chimpanzé grimé. Elle ne peut s'empêcher de céder à un nouveau fou rire, sous le regard désapprobateur de la vieille dame.

— J'espère que les parfaits sont bien arrivés ? demande-t-elle froidement.

Monique se ressaisit avec difficulté.

— Tout à fait, Mamie, répond-elle de cette voix sonore qu'on doit utiliser avec la vieille dame pour se faire entendre.

— Qu'as-tu fait de ton tailleur rose ?

— J'ai changé d'idée.

— Je vois.

Et le regard aux reflets d'huître balaie la robe grise avec remontrance.

Devant l'église, une foule d'amis se presse déjà. Il fait beau, pas trop chaud, une température idéale pour un mariage. Lorsque Mathilde arrive au bras de son oncle, Jérôme, le frère de Monique, elle est si jolie, si fraîche, que Monique ne peut s'empêcher de verser une larme. Alors qu'elle s'émeut de cette vision féerique, la voix sifflante de Mamie se fait entendre.

— Et dire que vous l'avez oubliée sur un parking.

La magie est rompue. Monique sent son visage rougir, la sueur perler à son front. Elle n'a qu'une envie, envoyer Mamie valser, hop, un petit coup de pied, rien du tout, voir cette méchante vieille bique valdinguer à l'autre bout de l'église, comme une vilaine araignée maléfique.

Elle ne la supporte plus. Oui, elle se l'avoue à présent, sa fille a raison, Mamie lui gâche la vie, Mamie lui a toujours gâché la vie depuis le début. Et comme Monique est trop bonne, trop gentille, elle ne lui a jamais tenu tête, elle s'est toujours soumise, n'a jamais protesté. C'est trop tard. Elle ne peut plus rien faire. Le pli est pris.

Le reste de la messe passe vite. Monique pense à son plan de table, en a mal au ventre. Hélas, Mamie est placée à sa droite, impossible de faire autrement, impossible de la mettre ailleurs, personne ne veut être à côté de Mamie, Monique doit s'y coller. Comme d'habitude. Lors du retour chez elle, avant le reste des invités, Monique est aidée par sa nièce Sophie, la fille de Jérôme, pour s'assurer que les invités se mettent à la bonne place. La météo est toujours aussi clémente, et le jardin est ravissant, avec les tables dressées çà et là, joliment fleuries.

— J'ai tout fait, tout choisi, répète à l'envi Mamie, triomphante, d'une voix de stentor. Un travail de titan pour une dame de mon âge, et bien sûr, personne pour m'aider !

Parfois, un invité coule un regard apitoyé vers Monique, stoïque, qui sourit sans rien dire. La fête bat son plein, Mathilde est heureuse, et cela se voit, et c'est ce qui compte le plus, finalement. La cuisine est en effervescence, le traiteur surveille les opérations d'un regard expert, interpelle les serveurs. À un moment, vers la fin du repas, il fait discrètement signe à Monique.

— Je crois que ceci vous appartient ?

Il lui tend son portable et un trousseau de clefs. Elle le remercie.

Elle doit avoir l'air de n'importe quoi, rougeaude, empotée, dans sa robe froissée. Mais il la regarde avec une bienveillance amusée. Ses yeux bleus pétillent.

— Ça va ?
— Oui, dit-elle. Ça va.

— Et la belle-mère ?
Elle hausse les épaules, ne dit rien.

Dans son dos, elle sent toujours son regard, cordial, chaleureux. Il est sympathique, ce type. Comment s'appelle-t-il, déjà ? Luc. Luc Boulay. Traiteur. Il doit avoir l'habitude de ces repas de famille, il doit en voir tant.

Au moment du dessert, des amis musiciens du jeune couple se réunissent pour jouer *La Vie en rose* sur violon, contrebasse et violoncelle. La pièce montée est avancée tandis que les mariés dansent, les invités applaudissent. La lumière est belle sur le jardin, dorée, douce, et Monique ressent enfin une impression de sérénité. Elle se laisse porter par cette petite bulle de paix, en profite, jusqu'à ce que la voix qu'elle a appris à redouter, à craindre, cette voix que tout le monde entend, s'élève par-dessus la musique, en réclamant les parfaits, mais où sont-ils ces parfaits, enfin, que fiche ce traiteur, c'est intolérable, lamentable, tout cela c'est à cause de Monique, qui perd tout, qui ne sait rien faire, qui n'a jamais rien su faire, une sotte, sa bru, une écervelée, qui vit dans son nuage, qui ne sait pas ce que c'est que la vie, la vraie vie.

Monique a envie de rentrer sous terre, de s'y pelotonner, de ne plus jamais en sortir.

— Vous dansez ?

C'est la voix de Luc, le traiteur. Le petit orchestre joue un air de bal musette, entraînant et joyeux.

— Et les parfaits ?, balbutie-t-elle.
— Regardez, les parfaits sont déjà là.

Monique constate que les serveurs ont déposé les desserts chocolatés dans des coupes individuelles devant chaque convive.

Alors elle accepte de valser avec Luc, tandis que d'autres invités se lèvent à leur tour, et tous tourbillonnent gaiement, comme c'est bon, cette main d'homme nichée sur sa taille, cette paume plaquée à la sienne, cela fait si longtemps, combien de temps déjà, elle ne sait plus, elle aime cette façon qu'il a de la regarder, à la fois affable et malicieuse, une petite lueur qui brille au fond de ses yeux, comme c'est bon, ces larges épaules, sa bouche qui sourit, qui lui sourit, à elle, Monique, elle se sent plus légère, moins empâtée, elle virevolte dans ses bras, entend le rire joyeux de Mathilde. Sa plus belle des récompenses, le rire de sa fille, le jour de son mariage. Tout le monde est debout, tout le monde danse, les grands, les petits, les vieux, les jeunes, et il n'y a que Mamie qui reste assise, rivée à sa chaise, rabougrie et revêche, sa voilette grise qui vibre d'indignation, ses ongles qui martèlent la nappe. Personne ne s'occupe d'elle. Personne ne mange son parfait. La noce trémousse et se fiche de Mamie. Elle devrait faire comme eux, se moquer de Mamie. Se défaire de son emprise.

Ce serait si bien, la vie sans Mamie. A-t-elle le droit de penser des choses pareilles ? Oui, elle a le droit, c'est le mariage de sa fille, elle danse avec un homme charmant, elle a le droit.

Plusieurs danses s'enchaînent, Monique en a la tête qui tourne, c'est délicieux, elle pourrait danser des heures entières dans les bras de Luc. La nuit tombe sur le jardin parfumé, sur les restes d'un repas festif, les bougies sont allumées, et quand Monique revient à sa table, hors d'haleine, elle voit que les invités se tiennent très raides, très droits, elle sent qu'il s'est passé quelque chose, mais quoi, son cœur se serre, elle se fraie un passage à travers eux.

Une vision grotesque, insoutenable, Mamie trépassée, vautrée dans son dessert, le visage immergé dans le chocolat, la voilette culbutée sur la nappe et la perruque frisée qui pendouille de guingois, dévoilant l'arrière d'un crâne à la peau desséchée et jaunie.

Monique n'a conscience que de deux éléments, la main d'homme toujours arrimée à sa hanche, chaude et réconfortante, et par-delà les accords de musique qui n'ont pas encore cessé, un mot, un seul mot qui revient comme une ritournelle, *parfait, parfait, parfait...*

Éric-Emmanuel SCHMITT

La Part de Reine

Deux mystères m'intriguaient durant mon enfance : que deviennent les oiseaux en hiver, et où disparaissent les clochards ?

Fin mars, l'air pique, le ciel conserve la pâleur des frimas, les arbres plaquent sur leur écorce de courts furoncles qu'on appelle des bourgeons, bref, la nature engourdie semble peu décidée à changer mais au firmament des chants retentissent, joyeux, familiers, colorés, annonçant le proche déferlement de la lumière, tandis que, devant les bâtiments publics, les mendiants se réinstallent, sourire aux lèvres.

À mes yeux, oiseaux et clochards détenaient un privilège : reliés au cosmos par des forces secrètes, ces initiés savaient ce qu'ignoraient les mortels ordinaires, quand une saison meurt, quand naît la nouvelle.

Où avaient-ils coulé les mois glacés ? Comment s'étaient-ils nourris ? S'ils hibernaient, pourquoi ne trouvais-je jamais leurs corps endormis ? Dès novembre, j'auscultais les arbres, je battais les fourrés, je parcourais les champs ; en me hissant aux fenêtres, j'essayais d'apercevoir si l'école ou la mairie transformait certaines salles en asiles. En vain…

J'aurais pu obtenir la réponse en exigeant des adultes quelques informations ; cependant je me taisais ; il me plaisait d'entretenir la question. Peut-être préférais-je le mystère à la vérité…

★
★ ★

Clovis campait sur la place du village, entre l'église et l'épicerie de Monsieur Loriot : en ce lieu stratégique, il captait l'attention de tous, croyants, athées, indifférents, car nul ne vivait dans notre village sans s'aventurer là.

Jovial, le nez aquilin, le teint brun, des yeux verts cerclés de paupières rougies, Clovis était étrangement fort, puissante masse de chair recouverte de manteaux, de ponchos, de châles, de couvertures. Comment cumuler tant de kilos à partir de misérables aumônes ? Passant au-dessus de sa sébile où traînaient des centimes, je ne concevais pas le rapport entre ce butin famélique et le colosse qui se tenait derrière sans me douter qu'il absorbait du pain, du saucisson, du cervelas, du pâté, l'ensemble arrosé de bière, le genre de régime qui engraisserait une ficelle.

Trônant sur un muret plutôt qu'assis, Clovis maintenait sa chienne à ses pieds, une femelle labrador qui lui conférait beaucoup de majesté car, blanche, immaculée, d'une propreté constante, elle posait noblement devant lui, tel un garde qui protège son roi.

Ces deux-là m'impressionnaient. Je ne les trouvais pas pitoyables, loin de là… À mes yeux, ils brillaient. « Clovis », ce vocable ne renvoyait-il pas au roi des Francs ? Et l'aristocratique chienne se prénommait Reine...

Si la femelle labrador considérait toute personne de son œil noisette, Clovis, lui, n'apostrophait que les adultes en leur tendant sa paume ouverte.

Les enfants en avaient peur.

D'où venait cet effroi ? De nos parents d'abord, qui nous ordonnaient de ne pas le fréquenter. De son statut insolite, à mi-chemin entre l'homme et la bête puisqu'il vivait dehors, mastiquait en public, dormait à la belle étoile, tel un animal sauvage. Son allure imposante, sa sidérante immobilité, ses grands traits précis évoquaient une statue antique de la mythologie païenne, un Zeus ou un Poséidon égaré dans le monde moderne, riche d'un savoir ancien.

Un événement me permit de renoncer à la méfiance craintive qui poussait les gamins à l'éviter : pour l'anniversaire de mes douze ans, je reçus en cadeau un chien. Ce Tao, récupéré dans une cage de la SPA, un bâtard magnifique au pelage tricolore que mon père définissait comme « un croisé porte et fenêtre », quoique folâtre, indépendant et coureur, m'adopta avec enthousiasme. Amoureux de lui, je me mis à le promener plusieurs fois par jour, autant pour l'exhiber que pour lui dégourdir les pattes.

Or Tao se prit de désir pour Reine.

Spontané, le coup de foudre s'amplifia jusqu'à devenir une véritable passion partagée.

Sitôt que je déboulais sur la place, Tao, au bout de ma laisse, entamait un concert de cris aigus, ardents, pressants ; rien n'importait plus pour Reine et Tao que de se rejoindre, s'effleurer le museau, se renifler, se tourner autour en agitant la queue, puis, le cul en l'air, la tête au sol, chercher à provoquer une course où s'échangeaient les rôles de poursuiveur et de poursuivi.

Puisque je ne voulais pas priver Tao de ses plaisirs, je demeurais fréquemment auprès de Clovis pendant que nos fiancés s'agitaient, enjoués.

— Ils font bien plus que se plaire, ils s'adorent, me dit Clovis.

— Vous croyez ?

— Toi et moi, on ne peut pas tout leur procurer, à nos chiens. On les aime, ils nous aiment, mais ils ont aussi des histoires à eux.

Il observa Reine qui roulait sur le dos, les pattes pédalant en l'air, ventre offert à Tao, lequel jappait de jubilation, et, à cet instant, je crus repérer un éclair de jalousie dans ses prunelles ; il se tourna vers moi pour m'étudier.

— C'est toi qui habites la villa en pierres dorées, à l'angle d'Anatole France et de Laurent Mourguet ?

— Oui.

J'étais surpris qu'il ait repéré mon adresse alors qu'il me paraissait vissé sur la place.

— Préviens ton père que sa girouette va se barrer. La faitière est fendue.

— Pardon ?

— Sur le toit. Un coup de vent, et *pfuit* ! Il ne faudrait pas que le coq en zinc chute sur vous ou écrase un passant. Dis-le-lui.

— D'accord, répondis-je, sceptique.

En rentrant je découvris, étonné, que Clovis avait raison et signalai, le soir même, le danger à mon père qui me félicita d'exercer un œil si perspicace.

— Oh, ce n'est pas moi, c'est Clovis.

— Clovis ?

— Le clochard de la place.

— Tu lui parles ?

— Tao est fou de Reine, sa chienne. Alors forcément...

Mon père se gratta la tête en contemplant le toit.

— Va falloir que j'appelle des spécialistes. Remercie Clovis pour moi.

Le lendemain, je me dirigeai avec délice vers Clovis, persuadé de lui apporter deux précieux cadeaux, la confirmation de son diagnostic et les compliments de mon père.

Il les reçut en clignant de l'œil.

— Que va faire ton père ?

— Appeler un spécialiste.

— Un spécialiste ! Un spécialiste de quoi ? C'est juste une petite réparation. Qu'il l'entreprenne lui-même, voyons.

— Mon père ne bricole pas.

Je n'osais préciser qu'en vérité mon père s'était essayé maintes fois aux travaux domestiques mais n'était parvenu qu'à tordre des clous, maculer les murs de son sang, fixer des patères qui se décollaient ou construire des étagères aussitôt détruites par le poids des livres. Ma mère, désireuse d'une demeure bien tenue, avait donc décrété – pour épargner à son mari le ridicule de reconnaître sa nullité – que nous avions assez d'argent pour engager « des hommes de l'art » ainsi qu'elle le proclamait avec emphase – ce qui n'était sans doute pas vrai car mes parents, accablés de traites, engloutissaient leur salaire à rembourser les emprunts contractés pour notre habitation.

Clovis examina mon silence.

— Informe ton père que je peux arranger ça pour lui.

— Vous ?

— S'il n'a pas confiance, qu'il s'adresse à monsieur Desplat, votre voisin.

— Monsieur Desplat ne bricole pas non plus.

— C'est bien ce que je dis. Demandez-lui.

Le soir, consulté par mon père, notre voisin confirma que Clovis, très habile de ses mains, pouvait rendre une multitude de services.

— Il répare tout dans une maison, la peinture, le carrelage, la menuiserie, et j'en passe... C'est d'autant plus ahurissant que, de maison, lui, il n'en a pas.

— Vous le laissez entrer chez vous ?

— Bien sûr. Tout le monde recourt à lui. J'ai dû parfois l'abandonner seul ici parce que je devais retourner au bureau. Vous pouvez lui faire confiance. Il ne touchera à rien, il n'emportera aucun objet.

— Comment le rétribuez-vous ?

— Quelque chose à boire et à manger. Pas d'argent.

— Pas d'argent ?

— Pas d'argent ! J'ignore pourquoi mais il repousse le billet qu'on lui propose.

Ce détail captiva mon père qui décida de se rendre illico auprès de Clovis. Excité par cette promenade supplémentaire, Tao tirait tant sur sa laisse pour rejoindre Reine que je faillis arriver ventre à terre.

Mon père avait élaboré un bref discours destiné à solliciter l'aide du clochard et à en négocier les conditions cependant, avant qu'il ouvrît la bouche,

Clovis, ramassant ses affaires, s'écria le plus naturellement du monde :

— Bien. Allons-y !

Il prit la direction de notre rue. Si Papa voulait formaliser les choses, Clovis n'en avait aucun besoin ; en chemin, il ne s'adressa qu'à la chienne en lui expliquant, clins d'œil à l'appui, qu'elle avait l'honneur de se rendre chez son fiancé.

De fait, lorsque Tao et Reine se trouvèrent ensemble dans le jardin, l'allégresse les électrisa et ils entreprirent, frénétiques, de se pourchasser entre les plantations, ne cessant que pour reprendre leur souffle.

Taciturne, Clovis choisit des outils à la cave, s'empara d'une échelle, puis, agile malgré ses cent kilos, grimpa sur le toit où sans hésitation il entreprit son travail.

J'avoue que j'étais fier de lui. Savourant l'éblouissement de mon père, je ne pouvais m'empêcher de songer que c'était moi qui avais amené Clovis, voire que c'était moi qui l'avais rendu si compétent.

Une fois la girouette fixée, il redescendit, nous salua, prêt à partir.

Mon père le congratula puis sortit un billet – il s'agissait d'une somme importante, inférieure à ce qu'aurait exigé une entreprise, mais qui en représentait presque la moitié.

Clovis pâlit :

— Ah non…

Ses mains se mirent à trembler en refusant le billet.

Comme mon père insistait, Clovis s'essuya le front, brutalement inondé de sueur.

— C'est trop, monsieur. Offrez-moi plutôt à manger et à boire. Non, non, je vous en prie.

— Conservez ça et vous recevrez, en plus, un casse-croûte. Nous l'avions prévu, ma femme et moi.

Au lieu de se réjouir, Clovis blêmit davantage.

— C'est que... ce billet... je n'ai pas le temps...

— Pardon ? Pas le temps de quoi ?

— ...

Maman apparut avec un sac où elle avait glissé le repas préparé pour Clovis et Reine. Il s'en empara, ravi.

— Merci, madame. Au revoir.

Sifflant Reine, il opéra un rapide demi-tour et s'échappa. Mon père bondit dans la rue, le rattrapa, le retint par l'épaule et lui imposa, d'autorité, le billet dans la main.

— Tout travail mérite salaire, Clovis. Je tiens à être honnête. Je vous remercie encore.

Mon père recula et lui adressa une mimique d'adieu, exprimant que la discussion était close. Clovis demeura hébété, lorgna avec désolation le billet glissé dans sa paume ; une sorte d'effroi mêlé de timidité l'empêchait de résister une nouvelle fois ; il affichait une mine de vaincu.

Il tâta le billet, réfléchit, puis, comme s'il venait de fixer une résolution définitive, referma ses doigts et cria à sa chienne :

— Allez viens, Reine, faut se dépêcher.

Les deux silhouettes disparurent dans la rue.

Où allaient-ils ? Pourquoi se pressaient-ils ?

Ces questions ne taraudaient ni mon père, ni ma mère. Mes parents offraient un mélange de scrupules et de générosité : profiter d'un homme les dégoûtait, le rétribuer à sa juste valeur les enchantait. Ils mettaient d'autant plus d'énergie à se comporter bien qu'ils ne croyaient pas en Dieu, n'ayant gardé du catholicisme que les apparences – baptême, mariage en blanc, enterrement – ces glorieuses cérémonies qui rythmaient l'existence. Politiquement de gauche, ils n'appréciaient guère la charité, critiquaient les aumônes qui cherchent à se substituer à l'État. Glisser une pièce à un pauvre les choquait ; en revanche, récompenser un vagabond pour sa peine les comblait puisque cela relevait de la justice sociale.

Ils avaient interprété la réticence de Clovis comme une gêne momentanée. Peut-être même en avaient-ils été flattés. Or j'avais bien perçu, moi, que Clovis éprouvait un malaise puissant. Que masquait sa hâte ? Lui qui d'ordinaire ne bougeait jamais…

Avant que nous nous mettions à table, je m'échappai et galopai à perdre haleine jusqu'à la place de l'église. Ni Clovis ni Reine ne s'y trouvaient.

Où avaient-ils filé avec l'embarrassant billet ?

Le lendemain, lors de la récréation, je ne pus me retenir d'en parler à mes camarades. Volubiles, ils me servirent plusieurs explications que j'écoutais, le visage attentif. Courir dans un bistrot et boire autant d'alcool que le billet permettait de s'en régaler ? On n'avait jamais vu Clovis saoul, à la différence d'autres clochards. Se précipiter à la banque pour mettre l'argent sur un compte ? À 19 heures, elles étaient fermées. Une seule supposition m'arrêta : Clovis serait allé se payer une femme à Lyon, dans les quartiers chauds. Pourquoi pas… Il devait avoir des pulsions sexuelles, lui aussi. Or dans ce cas, pourquoi avait-il exprimé cette panique consternée quand il avait découvert, billet en main, que ce serait possible ? Non, décidément, aucune de ces hypothèses triviales ne me satisfaisait.

Dans les mois qui suivirent, l'énigme me tracassa. Mon père appelait souvent Clovis à la maison pour bricoler et continuait à lui remettre un billet correspondant à la moitié de ce qu'aurait réclamé un professionnel. La scène se reproduisait : Clovis, désemparé, refusait le billet, acceptait le casse-croûte, puis, forcé par mon père à garder l'argent, se décomposait avant de partir en courant.

Comme mon père l'avait recommandé à ses amis, Clovis avait de plus en plus l'occasion de rendre service mais ceux-ci le tourmentaient en appliquant la règle paternelle.

À l'un d'eux, Clovis, dépité, avait adressé une réflexion qui ouvrait une piste :

— Ravitaillez-moi plusieurs fois dans les semaines qui viennent, au lieu de m'encombrer.

L'homme s'était esclaffé en disant que, posséder une telle somme, cela assurait de nombreux déjeuners et dîners : Clovis n'aurait qu'à la dépenser au fur et à mesure de ses besoins.

En en parlant, les amis de mon père avaient conclu que Clovis aurait préféré ouvrir un compte culinaire chez eux plutôt que de gérer son capital.

Cela ne me semblait pas sot, mais pas juste non plus...

Aussi décidai-je de mener l'enquête par moi-même.

Un samedi, Clovis vint chez nous réparer un muret que de mauvaises herbes, logées entre les joints des pierres, menaçaient d'écroulement.

Une fois le travail effectué, les ordinaires palabres prirent leur place : le refus de Clovis, l'insistance de mon père, puis le départ précipité de Reine et Clovis.

Or il était tôt, ce jour-là, et je savais que mes parents se rendaient à une fête.

J'enfourchai donc mon vélo et pédalai sur les traces de Clovis.

Il s'était assis à l'arrêt de bus. Reine et lui attendaient sous l'abri. Je me dissimulais afin qu'ils ne me remarquassent pas puis, une fois que le car les eût embarqués, je suivis le véhicule qui desservait Lyon.

Une demi-heure plus tard, Clovis descendit place Bellecour.

Il hésita, tournant la tête autour de lui.

Quel contraste entre notre courte place de village cerclée de bâtiments attentifs et cette étendue immense, rouge, démesurée, battue par les vents, couverte de pigeons s'envolant en vagues, où les façades qui se font face demeurent si distantes les unes des autres qu'on ne voit que l'azur qui les éloigne. La place Bellecour est un carré de ciel au milieu d'une ville.

Reine poussa un jappement, Clovis sourit et ils se dirigèrent vers un banc, sous un arbre, près d'un kiosque qui vendait des fleurs ; l'homme sortit le repas préparé par ma mère, et, tout en absorbant les blancs de poulet cuits, parlait à son chien auquel, de temps en temps, il tendait un morceau.

Leur collation achevée, ils se levèrent et parcoururent une centaine de mètres pour rejoindre un groupe de clochards.

Profitant d'une palissade qui me cachait, je vis et entendis la suite.

Clovis salua les clochards, sortit le billet de mon père et le leur tendit.

— Ah ! Clovis, Clovis, s'écrièrent-ils, y a vraiment que toi !

— C'est normal, les gars. Bon, je vous laisse, je dois remonter.

— Salut Clovis. Merci. Reviens quand tu veux.

Clovis agita la main, Reine aboya et ils retournèrent à l'arrêt de bus.

Il commençait à faire tard, j'estimai que j'avais réussi ma filature, et je me mis à pédaler pour rentrer.

En forçant sur mes cuisses pendant l'interminable côte qu'il me fallait gravir, je revenais toujours à cette idée : Clovis ne possède rien, et dès qu'il reçoit, il partage.

Je ne savais si je trouvais cela admirable ou fou.

Les semaines suivantes, je mis en mots le système de Clovis : il vivait au jour le jour. Du moment qu'il avait assez à manger pour lui et Reine, il se délestait du reste.

Un dimanche, je détachai Tao pour qu'il joue avec Reine, et lui demandai :

— Il vous embête, mon père, quand il vous donne de l'argent !

Il sursauta. Je corrigeai aussitôt ma phrase.

— Quand il vous donne trop d'argent.

Il apprécia la nuance. J'insistai.

— Je sais ce que vous en faites : vous l'offrez à d'autres.

Alors que j'imaginais qu'il s'indignerait d'être découvert, il haussa les épaules.

— Ben évidemment.

— Vous pourriez l'économiser pour les mauvais jours.

— Qu'est-ce que tu entends par les mauvais jours ?

— Le jour où personne ne vous aidera.

— Jusqu'ici, ça n'est jamais arrivé.

— Oui mais…

— Oh, mon garçon, si tu t'empoisonnes le présent avec un avenir qui n'existe pas, tu files un mauvais coton.

La phrase m'avait mouché. Je pris le temps de l'assimiler puis repartis à l'attaque.

— Vous avez tort : ça peut arriver.

— Non. Tu nous laisserais tomber, toi, si tu apprenais que Reine et moi n'avons plus rien à nous fourrer dans le ventre ?

— Bien sûr que non.

— Ah, tu vois !

— Moi c'est moi. Tout le monde n'est pas si…

— Pour qui te prends-tu mon gars ? Pourquoi te méprends-tu sur les autres ? Il y a plein de gens sur terre disposés à rendre service.

Il désigna Reine qui, assise en face de Tao, frottait tendrement sa truffe contre la sienne.

— C'est elle qui m'a appris.

— Reine ?

— Oui, Reine. Elle est bien plus intelligente que nous, tu sais. Elle reste pure, elle vit au jour le jour, elle a confiance.

J'étais ébranlé. Une partie de mon esprit ne voyait en Reine qu'une chienne écervelée, sans souci du lendemain, imprudente donc vulnérable, future victime de multiples revers tandis qu'une autre voix me soufflait que cet abandon à la vie, cette joie de s'en remettre aux autres et à la Providence, constituait une forme de sagesse.

Cependant j'avais été éduqué par des parents

issus d'ancêtres pauvres : épargner, assurer l'avenir, prévoir m'apparaissaient d'essentielles qualités.

— Tu prends modèle sur un chien, Clovis ?

C'était la première fois que je le tutoyais et je m'en rendis compte trop tard.

Il sourit.

— Évidemment !

Il se pencha vers moi.

— Laisse-moi te raconter quelque chose. Cinq ans en arrière, au mois de septembre, je ne sais pas ce qui se produisit : plus personne ne me fourguait d'aumône. Une épidémie d'avarice. Au début, je n'y ai pas prêté attention, puis j'ai constaté que ça s'installait, cette maladie. Les gens couchaient sur leurs sous. Et pas moyen de leur rendre service non plus !... Bon, moi je ne vais pas les critiquer, les gens, je me suis dit qu'il y a avait un truc qui les avait assommés, une mauvaise nouvelle, un impôt, une taxe, une saloperie qui leur vidait le moral et le porte-monnaie. Mais ça a duré.

Ses yeux devinrent humides.

— Le froid nous a agrippés plus tôt que prévu, et j'avais les boyaux qui se tordaient. Au début, je consacrais mes petits sous à Reine et moi, puis est arrivé ce moment où il n'y en avait plus que pour un. Alors...

Il se mit à renifler.

— Alors j'ai commis un acte épouvantable, mon garçon : j'achetais à manger seulement pour moi. Reine se tenait à mes pieds, elle m'observait, tranquille, en attendant que je lui tende un bout. Premier jour, je ne lui donne rien. Deuxième jour, je lui lâche un croûton et elle me remercie comme si je lui avais offert un festin. Le troisième et le quatrième jour, rien. Ça ne la changeait pas, elle se tenait, toute sage, les yeux intenses, elle ne s'impatientait pas, elle ne quémandait pas, elle ne me brusquait pas. C'est là que je me suis rendu compte de l'horrible malentendu : elle avait confiance.

Sa voix trembla.

— Oui, j'étais en train de l'affamer, son ventre gargouillait, ses intestins criaient famine, sa peau pendait. Je grignotais devant elle et elle ne se rebellait pas. Elle gardait intacte sa foi en moi. Elle savait que, dès que ce serait possible, je lui servirais un bout. Après une semaine de privation, elle s'était juste autorisée à laper les miettes de ma pitance, et encore, elle l'avait fait quand j'avais le dos tourné, pour ne pas m'humilier.

Il se moucha avec bruit.

— Alors tu vois, mon garçon, je me suis aperçu qu'un être humain aurait été incapable d'une telle douceur. Un homme aurait protesté, un homme m'aurait attaqué, un homme m'aurait volé. Pas elle. Dans ses yeux marron, il y avait le malheur d'avoir faim mais ni haine, ni désaveu, toujours ce même amour, cette absolue fidélité. Et ce n'est qu'une chienne, disais-tu ?

Il appela Reine et Tao qui se jetèrent entre ses jambes pour recevoir ses caresses.

— J'étais torturé. J'avais déjà mal à la tête, moi qui me nourrissais chichement, alors j'imaginais son malaise à elle qui n'ingurgitait plus rien ! Je me trouvais monstrueux à vivre ainsi auprès d'une sainte. Le matin où j'ai vu qu'elle commençait à tituber, ma Reine, j'ai cessé ! Un minuscule repas sur deux, je le lui refilais... À mon tour de souffrir. À mon tour de partager. Lorsque je l'ai fait, elle n'a même pas manifesté une gaieté excessive, elle a trouvé ça normal, persuadée depuis toujours que je ne la trahirais jamais. En me baissant pour lui tendre une tranche de jambon, j'ai compris qu'elle m'avait élevé à sa hauteur.

Il entoura de ses mains la tête de Reine et lui frotta comiquement les bajoues, ce qui amusa beaucoup Tao.

— Puis les gens se sont remis à me jeter des pièces. C'était reparti. Pourtant j'avais saisi la leçon : je tâcherai d'être comme Reine désormais. Je vivrai au jour le jour. Ce que j'aurai en plus de ce qu'il me faut, je le donnerai. Et comme elle, je me forcerai à avoir confiance en demain, à avoir confiance en les hommes. Autrement, le monde serait trop laid.

L'émotion m'avait rendu muet devant ce récit bien plus magnifique que les histoires de succès dont on se régalait à la maison.

Dans le silence qui nous réunissait, je me mis à caresser les deux chiens en scrutant leur gueule impénétrable : je tentais de déceler sous leur masque canin cette humanité supérieure que Clovis avait trouvée.

Reine et Tao se laissaient tripoter, ravis, abandonnés aux câlins, en redemandant sans vergogne d'un léger coup de patte ou d'un œil langoureux, pas dans la posture du sage ou de l'éminent philosophe.

Au bout d'une demi-heure, je parvins à parler.

— Où passes-tu l'hiver, Clovis ?

— Je n'ai pas le droit de le dire.

— S'il te plaît.

— Tu ne le répéteras pas ?

— Je te le jure.

Et il me raconta que, les mois gelés, il se réfugiait dans deux bâtiments, la bibliothèque municipale et la cure. Sous les salles de prêts se trouvait une cave où, le jour, il posait des couvertures plastiques adhésives sur les livres abîmés ou récemment acquis, s'interrompant le temps du déjeuner. La nuit, il recevait un souper à la cure et y dormait.

— Pourquoi n'as-tu pas le droit de me le dire ?

— Parce que le curé et la bibliothécaire l'exigent : ils se haïssent.

— Le père Henry et Mademoiselle Marcelle ?

— Exact. Mademoiselle Marcelle, c'est une communiste, une rouge de chez Staline qui bouffe du curé à chaque phrase. Elle récuse la charité et estime que c'est à la société de résoudre les problèmes des citoyens. Donc elle me fait travailler ; pour les tâches que j'accomplis, elle a dégagé une infime ligne de budget. C'est officiel.

— Je connais ce genre de raisonnement, assurai-je en songeant à mon père. On ne donne rien contre rien. On ne donne jamais en fait.

— Le curé, c'est l'inverse. Il fait la charité sincèrement, comme on le lui a appris.

— Qui a tort ? Qui a raison ?

— Mademoiselle Marcelle et le père Jean sont deux bonnes personnes, deux excellentes personnes, avec un cœur immense. Quoique semblables, ils n'emploient pas les mêmes mots. De temps en temps, je me demande s'ils ne pratiquent pas la surenchère, si Mademoiselle Marcelle ne cherche pas à humilier le curé en concoctant une cuisine succulente, et si, de son côté, le curé n'insiste pas pour que je me vautre dans la paresse, que je mange et dorme sans aucune contrepartie. En fait, chacun tient à prouver à l'autre qu'il est le meilleur et le plus efficace.

Il éclata de rire.

— Tant mieux, c'est ma Reine qui en profite.

Je me grattai le crâne.

— C'est bizarre : le curé déteste les animaux, il leur interdit l'accès à l'église ou à la cure.

— Il a deviné que Reine était une sainte. Sitôt que je lui ai expliqué comment elle se comportait, il m'a dit qu'elle détenait une âme très sage, profonde, qui avait probablement lu saint Thomas.

— Saint Thomas ?

— Ou saint Anselme, je ne sais plus. « Le pain que tu gardes appartient à celui qui a faim. » La propriété vient du besoin : si tu as besoin, c'est à toi. Ce que les gens ont de trop ne leur appartient pas, cela appartient à ceux qui en ont besoin.

Il se pencha de nouveau vers moi, vérifia autour de lui que personne ne l'écoutait et me souffla :

— En fait, je crois que même le père Jean n'a pas compris. Lui aussi parle de justice. Comme Mademoiselle Marcelle. À les écouter tous les deux, la charité n'existerait pas, seulement la justice.

Il baissa encore le ton.

— Or la charité ne relève pas de la justice mais de l'amour. Ma Reine, elle ne réclamait pas son dû quand elle me laissait manger et attendait sa part pendant des jours, elle exprimait sa confiance, elle me montrait son affection. La générosité, mon garçon, tout autant que le sacrifice, c'est complètement injuste.

Il se releva, cligna de l'œil pour me signifier que je ne devais pas rapporter ce qu'il venait de me confier, et respira plus large.

Le 3 juillet suivant marqua les esprits de notre ville à jamais.

À 8 heures du matin, un hurlement de détresse traversa les rues.

En train de m'habiller, les fenêtres ouvertes sur le jardin ensoleillé, je l'entendis distinctement. Le cri était si chargé d'horreur que j'en frémis. Dans les secondes qui suivirent, je me persuadais d'avoir rêvé. Puis le cri reprit et, cette fois, Tao qui paressait sur ma descente de lit se redressa, les membres tendus, l'échine hérissée, les mâchoires serrées pointées vers le ciel et gémit.

— Tao ! Tais-toi ! Tao !

Rien à faire. Comme possédé par l'angoisse, indifférent à mes remontrances, Tao poursuivait sa plainte stridente.

Mes parents déboulèrent, apostrophèrent Tao. Sans leur accorder la moindre attention, Tao profita du bâillement de la porte pour se précipiter en bas et se figer devant la sortie.

— Ce chien devient fou, s'exclama mon père, furieux.

— Non ! lui dis-je. Il a entendu le son perçant dehors.

Mes parents, occupés à la salle de bains, n'avaient pas remarqué le cri déclencheur.

Je bondis dans l'escalier.

— Je sors Tao, c'est le seul moyen de le calmer.

J'eus de la peine à attacher le collier au chien dont le cou avait doublé de volume ; il piétinait, angoissé, impatient.

Enfin nous franchîmes le seuil et Tao se mit à courir, m'obligeant à le suivre au risque de trébucher.

Nous déboulâmes sur la place du village.

Des pompiers se trouvaient là où, d'ordinaire, se tenaient Clovis et Reine.

Provenant de toute part, des badauds se massaient à une distance respectueuse.

— N'avance pas mon garçon, m'avertit Mademoiselle Marcelle, la bibliothécaire, descendue en robe de chambre avec un foulard sur la tête.

J'aurais volontiers obéi cependant Tao ne l'entendait pas de cette oreille. De ses forces de chien athlétique, il m'emporta vers l'origine du cri, franchit le barrage de pompiers et s'arrêta pile.

Le cadavre de Clovis gisait à terre. À côté, la grande chienne labrador avait allongé son corps blanc contre lui et sanglotait. Oh certes, des larmes ne coulaient pas de ses yeux mais sa face tragique était marquée par la souffrance et ses suffocations manifestaient son désespoir.

— Crise cardiaque, commenta le chef des pompiers. Il est mort dans son sommeil.

Tao s'avança, circonspect, intimidé, renifla Reine, renifla Clovis, revint vers Reine pour un rapide coup de langue. En vain ! Rien ne pouvait arracher Reine à sa violente peine.

Tao se retira, s'assit à mes côtés, et la tête penchée, l'air interrogatif, examina cette scène à laquelle il comprenait si peu.

Nous, les hommes, jeunes ou vieux, nous assistions, bouleversés, au chagrin de la chienne qui se frottait au maître qu'elle aimait.

Les jours suivants – et pendant des années – aucun des villageois qui avaient contemplé cette tragédie ne put supporter qu'on parle des chiens avec mépris, qu'on les juge incapables de sentiments ou privés du sens de la mort : tous, nous avions repéré le deuil le plus désespéré et le plus sincère de notre vie en la personne de Reine.

Grâce à une quête du père Jean, de modestes funérailles furent célébrées.

Le moment s'avéra horrible.

La chienne se tenait enchaînée à l'entrée de l'église puisqu'on lui en avait refusé l'accès et hurlait à la mort sous le portique.

Pendant la cérémonie, il nous fut impossible de nous concentrer sur le discours du père Jean.

Les employés des pompes funèbres sortirent en portant le cercueil et là, d'un commun accord, nous laissâmes la chienne, en tête du cortège, accompagner son maître jusqu'au cimetière.

On fit descendre la boîte en sapin dans le trou puis le fossoyeur combla de glaise l'espace restant. Il semblait que la chienne avait pénétré et approuvé ce qui se passait. Enfin, après qu'il eût aplani le sol et posé mon bouquet de fleurs ainsi que celui de Mademoiselle Marcelle, la chienne prit tranquillement possession du carré de terre, le renifla plusieurs fois, le piétina un peu et s'y coucha, impériale.

Reine nous considérait avec l'air de dire : « Vous pouvez partir, maintenant. Je suis là, je le garde. »

Le père Jean s'appuya sur mon épaule et murmura :

— Elle ne s'alimente plus depuis quatre jours. Quand je lui pose une assiette, elle l'ignore.

— Peut-être mangera-t-elle ce soir, suggérai-je. Maintenant qu'elle sait où il est…

— Peut-être.

Cependant, le lendemain, pendant que je longeais la cure en promenant Tao, le père Jean m'apostropha depuis sa fenêtre.

— Reine va mourir…

Nous nous sommes figés et, derrière nos fronts, la phrase se complétait ainsi : « mourir de chagrin ».

— Laissez-moi essayer, lançai-je. Je vais me servir de Tao.

Nous entrâmes dans la cuisine où Reine se tenait, écroulée sur le flanc, défaite, à même le carrelage.

Tao s'approcha, la renifla en agitant la queue. Elle poussa un immense soupir pour lui montrer qu'elle l'avait vu mais ne bougea pas.

Alors je m'assis à mon tour et me mis à lui parler. Je murmurai des phrases rebattues, puis, dès que le curé s'éloigna, des pensées plus justes sur son maître, ses qualités, sur nos regrets à tous, sur le fait que c'était elle qui éprouvait le plus intense chagrin.

Renversée à même le sol, sans relever le museau, elle m'écoutait chaque seconde davantage.

De son côté, Tao, interloqué, lui prodiguait de menues tendresses de chien.

Peu à peu, Reine devint moins rigide et nous adressa quelques vrais regards. Ils ne duraient cependant pas davantage qu'un éclair.

Soudain, je me redressai d'un saut et lançai d'un ton vif :

— Et si on allait manger un sandwich !

Par réflexe, elle se leva. Lorsqu'elle s'en rendit compte, elle sembla le regretter mais il était trop tard.

— Allez venez les chiens, ordonnai-je d'une voix ferme. Allons chercher le déjeuner chez Monsieur Loriot.

Énergique, escorté de Tao rassuré et de Reine hésitante, j'allai acheter le plat préféré de Clovis, un sandwich au pâté de lapin.

Muni de cette préparation qui avait presque la taille d'une baguette, je m'assis sur un banc et je continuai à m'entretenir avec les chiens.

Reine m'observait mastiquer. Presque malgré elle, attendait son tour.

Après avoir ingéré le premier tiers, je feignis de l'apercevoir.

— Ah, tu en veux, Reine ?

Ses pupilles se dilatèrent.

Je lui tendis des morceaux qu'elle engloutit, d'abord délicate, puis de plus en plus vorace. Elle avalait avec difficulté. Par mimétisme, Tao demanda à goûter puis, déçu, recracha la mie de pain.

Reine se léchait les babines en enchaînant les bouchées.

— C'est bien, ma fille, c'est bien, lui dis-je sur le ton qu'employait Clovis autrefois.

Je comptais la garder avec moi une partie de la journée mais elle s'évapora au début de l'après-midi.

Inquiet, je débarquai vers 18 heures chez le père Jean.

— J'ai perdu Reine. Pourtant, j'avais réussi à lui faire dévorer un sandwich.

Il me tapota l'épaule.

— Ne t'inquiète pas : elle ne se trouve pas loin.

Et, en quelques enjambées, nous rejoignîmes derrière la chapelle le cimetière où Reine trônait sur la tombe de Clovis.

Elle agita sa queue en nous voyant.

— Elle va mieux, conclut le père Jean. Comment dois-je l'alimenter ?

— D'abord, vous ne devez pas déposer la nourriture sur le sol et quitter la pièce. Il faut la lui proposer dans votre main.

— Pardon ?

— Oui, Reine ne prend que ce qui lui est offert.

Le prêtre soupira.

— Ensuite, continuai-je, ne vous contentez pas de lui procurer à manger, donnez-lui des raisons de manger.

Le prêtre écarquilla les yeux.

— Oui mon père. Si vous ne l'aimez pas, elle ne mangera pas.

Il grommela furieux :

— Aimer un chien ! j'ai bien autre chose à faire, je trouve ça ridicule.

— Ce n'est pas ce que pensait saint François d'Assise, lui répliquai-je avec l'insolence de mes treize ans.

Il frissonna, brusquement abattu.

J'insistai :

— Si vous l'aimez, elle mangera pour vous.

Effondré sur une stèle moussue, il me considéra avec humilité.

— J'ai peur que tu aies raison. Cette chienne est exceptionnelle. Elle va m'apprendre à grandir, à m'améliorer. Merci, mon Dieu, de l'avoir mise sur mon chemin.

Dans les années qui suivirent, Reine et l'abbé Jean devinrent inséparables : elle l'avait adopté comme son nouveau maître, même si, chaque jour, elle allait s'allonger deux heures sur la sépulture de Clovis.

Elle métamorphosa le père Jean, au point qu'il expliquait à ses ouailles qu'au Moyen Âge, les animaux entraient dans les églises, qu'il citait François d'Assise et Claire dans ses sermons, qu'à chacun, au violent comme à l'indifférent, il soutenait que les animaux étaient aussi des créatures de Dieu. Le soir de Noël, Reine se tenait au pied de l'autel pour recevoir, elle aussi, la bonne nouvelle lorsque la chorale chantait à pleine voix le cantique « Un enfant est né, bergers, réveillez vos bêtes. Un enfant est né, bergers, venez à la fête ».

*
* *

Trois ans plus tard, je ralliai une mission humanitaire en Roumanie avec mes camarades de classe. Malgré nos dix-sept ans et notre inexpérience, ou peut-être à cause de cela, nous voulions changer le monde, le rendre meilleur. Depuis deux semaines, nous construisions un bâtiment au sein d'un orphelinat, au sud de Bucarest, maçons improvisés, staffeurs d'occasion, peintres tout terrain, dédiant notre énergie neuve au projet.

Cependant, si rendre service m'exaltait, la misère que j'apercevais autour de moi me décourageait.

Ce matin-là, j'aidais Doria, l'infirmière principale. Son visage long, usé, gris, aux narines serrées, respirait la tristesse.

— Que se passe-t-il, Doria ?

— Je ne sais plus quoi faire. C'est un échec.

— De quoi parles-tu ?

— Du pavillon des nouveau-nés.

Cette bâtisse, aucun de nous n'avait eu le droit de s'y rendre.

Elle me fixa, déchiffra ma mimique, haussa les épaules.

— Après tout, viens. Suis-moi.

Nous avons franchi les deux sas de sécurité, gardés par des colosses antipathiques, puis je pénétrai dans une salle aux peintures défraîchies où l'on s'occupait des plus jeunes orphelins.

Je m'attendais à du bruit, des cris, une cacophonie

saine et vigoureuse ; au lieu de cela, j'avançai dans une longue pièce où les nourrissons silencieux, inertes, reposaient à plusieurs dans des lits entourés de grilles pour éviter les chutes.

Leurs immenses yeux vides ne notaient pas notre présence. Les plus âgés aux membres sous-développés, à la peau étrangement pâle, tirant sur le vert, s'accrochaient parfois au barreau en fixant le plafond. Leur maigreur me choqua.

— Vous n'avez pas assez de nourriture ?

— Si, nous avons ce qu'il faut.

J'aperçus une nurse qui fourrait des biberons pleins à trois bébés, accomplissant des gestes automatiques. Aurait-elle gavé une oie à l'aide d'un entonnoir, elle ne se serait pas montrée plus tendre.

— Nous leur fournissons la quantité nécessaire à leur croissance mais ils ne l'absorbent pas.

Je m'attardais sur un enfant qui, dos à nous, observait le mur.

— Ils meurent très vite, continua Doria. Et de façon incompréhensible. Comme s'ils refusaient de grandir.

Je jetai un œil sur une autre nurse qui retirait rapidement les biberons à peine sucés des bouches molles, indifférentes.

Une image me traversa : celle de Reine.

Je me tournai vers Doria en lui désignant ces enfants qui ne nous prêtaient aucune attention.

— Pour manger, Doria, il faut avoir des raisons de manger. Si vous leur apportiez le désir de se nourrir en même temps que la nourriture ?

— De quoi parles-tu ?

— Si vous leur dispensiez aussi de l'affection ?

— Nous n'avons pas le temps !

Elle me fusilla du regard, s'assombrit, ne pro-

nonça plus un mot, et disparut sitôt que nous quit-
tâmes le pavillon.

Dans la cour, en retrouvant la lumière du soleil,
j'eus honte d'avoir blessé une femme si dévouée.
Qui étais-je, moi qui venais simplement m'amuser
deux semaines avec mes copains, pour lui infliger
des leçons d'humanité ?

J'eus envie de lui courir après pour qu'elle me
pardonne. Puis je me rendis compte que je
me montrais égoïste : son pardon ne procurerait
du bien qu'à moi, pas à elle.

Rentré au dortoir des bénévoles où nous logions,
je tentais de me remettre de mes émotions, la vision
des enfants mourants, ma diatribe contre Doria.
Des frissons me parcouraient. Je me dégoûtais. Le
monde me dégoûtait. Soudain, je n'y résistai plus :
il me sembla salvateur de téléphoner à mes parents
en France.

Lorsqu'ils décrochèrent, je perçus, au tremblement humide de leur voix, qu'ils étaient émus.

— Que vous arrive-t-il ? demandai-je en oubliant
mes états d'âme.

— Reine est morte.

— Reine ?

— Oui. Cette nuit. De vieillesse. Son cœur s'est
arrêté. Monsieur le curé est venu nous le dire. Il
nous conseille d'empêcher Tao de sortir durant
quelques jours. Ton chien la cherche déjà.

Sans prévenir, les larmes mouillèrent mes yeux. Je
songeai à l'infinie bonté de cette chienne, à sa vie
d'amour, de dévouement ; face à tant d'angélisme,
mourir me parut cruel.

Et Tao ? Comment survivrait-il à la disparition
de Reine ?

Aussitôt, je me mordis l'intérieur des joues

jusqu'au sang, histoire d'éprouver une douleur différente, acceptable celle-là : n'était-il pas ridicule, suite à ma traversée du pavillon où s'éteignaient des humains, de m'apitoyer sur un animal ?

— Tiens, je te le passe, ajouta mon père.

— Qui ? prononçai-je dans le vide.

Quatre secondes plus tard retentit la voix feutrée du père Jean.

— Bonjour mon garçon. Qu'est-ce que je fais du corps de Reine ?

J'entendis une effarante solitude dans cette phrase. Quoi ! Le père Jean qui avait connu tant de décès, côtoyé des centaines de cadavres, célébré autant de funérailles, voilà qu'il faiblissait devant le trépas d'une chienne. Puis je saisis le sens de sa requête...

— Vous savez bien où on doit l'enterrer, mon père : au cimetière, en compagnie de Clovis.

— N'exagère pas. C'est une terre chrétienne. Les animaux n'y ont pas droit.

— Vous plaisantez, mon père ! Reine était plus chrétienne que la moitié de vos fidèles. Vous avez recueilli une chienne qui ne connaissait que l'amour, le devoir, une chienne qui avait médité saint Thomas. Vous-même le disiez.

— Oui, je le disais. Et je le pense toujours. Davantage même.

— Alors ?

— Alors je ne peux pas faire ça. Pas moi.

Le dimanche suivant, revenu chez nous, je récupérai au fond du congélateur de la cure un corps lourd, couvert de vieux chiffons, et, à 6 heures du matin, un moment où j'avais peu de chance d'être remarqué, je creusai un trou au milieu du carré de terre battue où reposait Clovis.

La glaise me résistait, durcie par l'hiver, trop compacte. Plusieurs fois je faillis me décourager mais je pensais à la belle âme de chien qui reposait sous le linceul en attendant de rejoindre son maître.

Après quarante minutes d'efforts, je déposai enfin Reine à sa place dans ce cimetière.

Agenouillé, je lui adressai quelques mots.

Dans mon dos, un œil m'observait. Je sentais sa présence, je devinais qu'il me jugeait, qu'il me trouvait à la fois ridicule et sublime. Je continuais néanmoins.

Plus je percevais cet œil, plus je me demandais s'il appartenait à ma conscience dédoublée, au père Jean, à Dieu lui-même…

Ce regard me chauffait les épaules, me pinçait la nuque. Sans faillir ni me retourner, je m'occupais exclusivement de Reine dont je rebouchais le trou.

Une fois qu'avec le revers de la pelle j'eus aplani la dernière motte, je perçus encore l'œil derrière moi.

Et soudain, le cri s'élança.

C'était un oiseau, un moineau qui sortait de la nuit hivernale et qui, le cœur pur, libéré, annonçait joyeusement le printemps.

Franck THILLIEZ

Gabrielle

Peu, trop peu de saumons sont remontés, cette année-là.

Gabrielle et moi, on ne sait pas pourquoi. D'ordinaire, ils se regroupent par millions dans la baie afin d'attaquer le gros torrent à contre-courant pour se reproduire. On les a cherchés, on a scruté l'horizon avec l'espoir de voir leurs écailles argentées frémir à la surface de l'eau, mais ils n'étaient pas là. On s'est regardés, on n'a rien dit, mais je crois qu'on a pensé la même chose, tous les deux : un terrible drame s'annonçait.

Contrairement aux poissons, les grizzlis sont au rendez-vous, eux, et venus en nombre. On a compté soixante-quatre adultes et neuf oursons, soit trois individus de moins que l'année dernière. Ils sont descendus des montagnes, des sombres pentes boisées, ils ont parfois parcouru cent kilomètres pour prendre ce monumental repas qui doit durer quatre semaines. Sur cette période, les ours ont l'obligation de doubler leur poids s'ils veulent survivre aux sept mois d'hibernation. Avaler le gras, la peau et le cerveau d'au moins huit gros saumons par jour est leur priorité absolue. Manger, coûte que coûte.

Face à nous, il y a des mères avec leurs petits, de vieux briscards à la patte agile comme Josh ou Reynald, qui arpentent ces prairies du sud de l'Alaska depuis presque autant que nous.

Et il y a Bann.

Bann est le plus gros grizzli qu'on ait jamais vu. Le roi incontestable des lieux. Il pèse bien cinq cents kilos. Il a la gueule pleine de cicatrices, l'oreille droite coupée en deux, vestige de la sévère morsure d'un adversaire qu'il a fini par terrasser. Quand il se dresse sur ses pattes arrière, il est capable d'arracher l'écorce des arbres à plus de trois mètres cinquante de hauteur. Si vous marchez dans la forêt et que vous découvrez ces marques impressionnantes, si haut placées sur les troncs, c'est que vous êtes sur son territoire. Et si vous êtes sur son territoire, vous êtes morts. De nombreux grizzlis ont fait les frais de leur inattention ou de leur zèle.

Bann ne nous aime pas, il ne nous a jamais aimés. On le voit à ses petits yeux ronds qui nous transpercent, à sa démarche en sumo quand il s'approche des barrières électriques de nos camps situés au milieu de la prairie. On s'agenouille quand il vient vers nous, on baisse toujours la tête. Regarder un grizzli dans les yeux est une marque de défi.

Après la troisième nuit sans saumons, quand je me tourne vers Gabrielle, elle comprend que j'ai quelque chose de grave à lui annoncer. Elle est couchée juste à côté de moi, immobile. Ses longs cheveux gris couvrent une partie de son visage et de ses traits durcis par nos longues années passées au milieu des ours. Une grande cicatrice traverse son profil gauche, du front au menton, mais je ne la vois plus. On est tous les deux emmitouflés dans nos duvets. L'hiver commence doucement à revenir. À l'horizon, les montagnes sont déjà très blanches sous les étoiles.

— On devrait peut-être partir, lui dis-je. Avec ce qui s'est passé aujourd'hui…

Le silence nous enveloppe. On n'entend plus que le souffle du vent sur la toile, le bruit diffus du moteur électrogène, dehors. Ce matin, Karo, la femelle totalement soumise à Bann, a tué un ourson et sévèrement blessé la mère. Elle a emmené le petit corps au pied de la falaise qui se dresse au sud de la baie. Et l'a probablement dévoré.

C'est la première fois, en vingt-cinq ans, que je formule l'idée de partir avant la fin de notre séjour. Nous sommes sur place depuis mai, nous devrions normalement plier bagages dans trois semaines, à fin septembre.

— Je veux rester, me répond Gabrielle après un long moment de réflexion. S'il doit arriver quelque chose, il faut être là. Tout filmer pour le montrer aux gens. Si on ne le fait pas, qui le fera ?

Gabrielle a un petit grain de folie, je me suis toujours dit qu'un jour, un ours finirait par la tuer, tant elle prend parfois des risques. Elle me regarde longuement dans les yeux, approche ses lèvres et m'embrasse. J'ai soixante-neuf ans, elle en a soixante-quatre. On se fait vieux, on a mal aux os, et année après année, on a tous les deux peur de ne plus avoir la force de venir ici, auprès de nos grizzlis. On les aime davantage que les êtres humains.

— On reste encore un peu alors, je concède. Mais s'ils ont trop faim et que ça devient dangereux… On retourne à la cabane de Warren, d'accord ?

La vieille cabane est à dix kilomètres d'ici plus au nord, en dehors du territoire grizzli. Il faut à peu près trois heures de marche pour l'atteindre. Depuis la mort de sa femme, Warren n'a plus vraiment toute sa tête. Il s'est coupé du monde et de sa civilisation folle pour venir ici, au milieu de nulle part.

— D'accord, me répond-elle avec un sourire.

★
★ ★

Dans la grande ville, loin, très loin d'ici, les gens nous appellent « le couple Grizzli ».

La plupart d'entre eux ne nous comprennent pas. Ils ne connaissent rien à la nature, à son fragile équilibre, et pensent que nous sommes inconscients voire fous. Certes on vit au milieu de ces géants, on les observe, les approche, mais on veille toujours à ne jamais empiéter sur leur territoire et à les respecter. Même le grand Bann s'est habitué à notre présence. Quand il n'est pas d'humeur, il lui suffit de se dresser, et on s'efface de sa vue. Une fois, il est arrivé à Gabrielle de vouloir lui tenir tête. C'était il y a cinq ans, je crois. La plus grande frayeur de ma vie.

Et puis, on se protège. Nos deux camps sont distants d'une dizaine de mètres, et chacun entouré de sa propre barrière électrique. Un groupe électrogène alimente un générateur délivrant une tension de cinq mille volts. Les ours savent qu'ils ne doivent pas s'approcher. On les voit rarement à moins de six ou sept mètres des câbles haute tension.

Le camp 1, c'est là où on dort. Et le camp 2, l'endroit où on mange. Il contient nos réserves de nourriture, d'essence pour le groupe électrogène, et le matériel vidéo. Quand on sent les grizzlis nerveux, surtout pendant la période de reproduction où les combats pour conquérir les femelles sont nombreux et dangereux, on reste à proximité des camps. S'aventurer au-delà serait synonyme de suicide.

Après sept jours sans saumons, j'estime qu'il devient risqué de nous approcher de la rivière pour filmer, même si Gabrielle insiste. Les grizzlis sont répartis le long des flots, immobiles, à guetter le moindre frémissement, à sortir puis entrer dans l'eau, ne sachant plus où se positionner. Ils ne comprennent pas cette absence de nourriture, s'épient les uns les autres, et celui qui a la chance de pêcher un malheureux poisson doit vite l'avaler avant de déclencher une bagarre.

Les températures commencent à baisser, les jours à raccourcir, la pression de l'hiver se fait de plus en plus forte. Les mères prennent chaque heure davantage de risques, elles s'enfoncent toujours plus dans l'eau, poussées par leurs instincts, relâchent leur attention, et leurs petits se font embarquer.

— C'est horrible ce qui se passe devant nos yeux, murmure Gabrielle.

Elle a la larme à l'œil mais continue à enregistrer avec la petite caméra accrochée à son épaule et allumée en permanence. Elle, comme moi, on essaie de mettre une barrière entre ce sentiment d'injustice et ces images qu'on doit absolument rapporter dans la civilisation. On veut montrer ces terribles lois de la nature, et les dérèglements que notre monde moderne engendre sur les terres les plus reculées.

Qu'a-t-il pu arriver pour que les saumons ne

viennent pas ? Leurs machines, leurs industries, leur pollution, leur fichu réchauffement climatique... Tout cela, les grizzlis l'ignorent, ils sont programmés pour venir précisément sur ces terres et attendre le poisson. C'est comme inscrit dans leurs gènes par les générations passées, celles où le saumon abondait tellement que les trappeurs les retrouvaient à peine croqués sur les rochers.

À une trentaine de mètres, Bann vient de se dresser au milieu des flots et de se laisser lourdement tomber sur les deux pattes avant. Les gerbes d'eau qu'il a levées sont impressionnantes, et son grognement effroyable a dû résonner jusqu'aux falaises. Est-il en colère ? Résigné ? Comprend-il ce qui se passe ? Ce qui l'attend ?

Il tourne sa grosse tête vers nous et nous fixe sans plus bouger. Il renifle l'air. Le souffle léger du vent porte notre odeur jusque ses narines. Je ramasse mon trépied, ma bombe de gaz poivré et prends la main de Gabrielle.

— Il vaut mieux rentrer au camp.

On se précipite un peu trop et Gabrielle se tord le pied droit entre deux rochers.

Il y a un petit craquement.

★
★ ★

Sous la tente du camp 2, la lampe-tempête diffuse sa douce lueur au-dessus de nos têtes. La toile rouge ondule avec mollesse.

Le visage de Gabrielle joue avec les ombres et les lumières. Elle a la cheville enroulée dans une bande stérile, elle réussit à poser le pied à terre, peut encore effectuer de minuscules rotations mais est incapable de s'appuyer plus de deux secondes sur sa jambe. On sait qu'il s'agit d'une petite entorse, comme on en a déjà eu cinq ou six en venant sur ces territoires chaotiques. Ma femme est une dure, elle ne se plaint pas, elle pense même que c'est un signe pour nous contraindre à rester jusqu'à fin septembre. Moi, je pense au contraire que c'est le signal qu'il faut partir. Je lui ai proposé d'aller à la cabane de Warren et de mettre un terme à notre mission, une nouvelle fois elle a refusé catégoriquement. Je déteste la contrarier.

Les lentilles et les saucisses cuisent sur le réchaud qui irradie une chaleur bienvenue. Ça crépite, ça sent bon, on partage la même assiette, l'autre est cassée. On avale cette nourriture avec une boule dans la gorge. On a mal au cœur de manger alors que nos grizzlis crèvent de faim à quelques mètres de nous. Mais on n'y peut rien. On s'est juré de ne jamais intervenir, de ne pas perturber leur rythme de vie, leur équilibre. Parfois, c'est difficile. Il y a deux ans, j'ai vu une ourse se noyer devant mes yeux, j'aurais pu la sauver. Je ne l'ai pas fait. C'est dans l'ordre des choses.

— Certains mâles se sont mis à chercher des palourdes sur la baie, dit Gabrielle. On dirait qu'ils ont compris qu'il n'y aurait pas de saumons. Mais combien de coquillages il leur faudrait trouver pour remplacer toute la graisse des poissons ? Chaque jour qui passe les rapproche de la mort. Ils le sentent, j'en suis sûre.

Ma femme va mal, je le sais. Pas physiquement, mais dans sa tête. Cette fois, l'émotion la submerge. Ces grizzlis-là, nos grizzlis, sont parmi les derniers de la planète. C'est toute leur espèce qui pourrait s'éteindre cette saison. Je tente de la rassurer, de lui dire que, peut-être, l'hiver sera moins long, moins rigoureux que les autres années. Et qu'ils y survivront.

— Les grizzlis se rapprochent des camps, j'ajoute. J'en ai vu un, dans l'après-midi, il n'était qu'à un mètre de la barrière. Ils ne font jamais une chose pareille. Vraiment, je pense qu'on devrait lever le camp.

— Ne pense pas, d'accord ? On va filmer jusqu'au bout.

Soudain, le monotone ronflement du groupe électrogène se met à varier en intensité. À éternuer. Nos regards étonnés se croisent, ne se quittent plus. On reste figés, suspendus aux tressautements de la machine qui alimente les barrières électriques. Je crois que, pendant les dix secondes qu'ont dû durer ces ratés, nous avons oublié de respirer. Heureusement, le moteur repart comme en quarante. Je pose mon assiette de lentilles et me lève.

— Tout a l'air d'aller, mais je vais quand même aller jeter un œil.

J'enfile mon blouson, remonte la fermeture jusqu'au cou et sort avec une deuxième lampe. Il fait un noir d'encre, une nuit sans étoiles, avec un vent cinglant. Le groupe électrogène est posé dans l'herbe sur le côté, sous une petite niche en bois qui coupe un peu le bruit du moteur. Frigorifié, je soulève le couvercle, observe les différentes pièces avec ma torche. Courroie, stator, alternateur… J'ouvre le carter, le niveau d'huile est nickel. Je cherche une fuite, une pièce défaillante, ne la trouve pas. Fausse alerte, donc.

Ça bruisse soudain autour de moi. Je bascule la lampe vers la nuit noire. Une ombre se détache dans le faisceau lumineux, puis une autre, un peu plus loin. Deux grizzlis sont vraiment très proches de la barrière, ils tournent autour du camp, leurs grosses truffes humides humant l'air avec envie.

Je retourne dans la tente.

— Il est en bonne forme, notre électrogène. Mais les ours sont là, autour.

Gabrielle se traîne jusqu'à l'entrée, fouille l'obscurité avec sa lampe.

— Il n'y a rien.

— Je les ai pourtant vus comme je te vois, toi.

Après le repas, Gabrielle lave la vaisselle, je l'essuie. On range, puis on sort. Ma femme tient la lampe d'une main, et passe l'autre bras autour de mes épaules. Je l'aide à avancer. Les grizzlis curieux ont disparu. Après avoir vérifié qu'on pouvait traverser, j'ouvre le petit portique, on parcourt péniblement les dix mètres jusqu'au camp 1 et, une fois dans la tente, on plonge dans nos duvets.

Demain, les ours attaqueront leur quinzième jour de diète. Ils perdent encore du poids alors qu'ils devraient gagner cinq cents grammes quotidiennement pour survivre cet hiver. Comment tout cela va-t-il finir ?

Au fait, je n'ai vu aucun ourson, aujourd'hui.

*
* *

Dix-septième jour sans manger, et je suis à bout de nerfs : je veux partir à la cabane.

Les grizzlis sont devenus très oppressants, ils ont abandonné le torrent pour revenir en plaine ou au bord de la plage, à chercher tout ce qu'ils peuvent manger : des coquillages, des racines, des baies.

Ils sont une dizaine à tourner autour de notre lieu de vie, ils cherchent à attraper notre regard, ils grognent, sont menaçants. Bann se dresse souvent sur ses deux pattes, nous dominant de toute sa splendeur, sa force. Gabrielle aime le filmer quand il est comme ça. Il est la mort incarnée.

On peut difficilement sortir de nos prisons, il faut les vents favorables, c'est-à-dire soufflant de la plaine vers la baie, pour être relativement invisible à l'odorat des ours et tenter des incursions hors des barrières.

Tout à l'heure, lors de mon passage entre les deux camps, une femelle a chargé. J'ai couru, je me suis mis à l'abri derrière les barrières électriques. J'ai vu que Gabrielle avait enregistré la scène, couchée au sol. Aurait-elle encore filmé si j'avais été dévoré ? Serait-elle allée jusqu'au bout pour rapporter ses satanées images ?

Elle ne va décidément pas bien.

J'ai soigneusement rangé la nourriture froide dans notre tente. On veut exciter les ours le moins possible avec les odeurs.

— Restons encore une journée, me dit Gabrielle. Une toute petite journée. On ne reverra peut-être plus jamais Bann, ni Josh, ni Reynald, ni Alice. Ni tous les autres... On ne peut pas les quitter comme ça. Je veux m'assoir dehors, une dernière fois, et les regarder jusqu'à ce que la nuit tombe. Demain, avant le lever du soleil, si les vents sont bons, tu longeras la baie, tu iras chez Warren et vous viendrez me chercher, d'accord ?

Gabrielle me touche la joue, le menton, elle me sourit tristement.

— Très bien, je réplique. Encore une journée et une nuit.

★
★ ★

J'ouvre les yeux et reste allongé là, immobile, incapable de bouger.

Un silence anormal m'a réveillé.

Ce même silence qui sort Gabrielle de son sommeil. J'allume ma petite lampe et éclaire nos deux visages par le bas. Nos traits sont marqués, nos rides sont comme des abîmes qui piègent la lumière. Quant aux ténèbres, elles semblent emprisonner le bleu glacé de nos yeux.

Sans nous parler, on a compris, tous les deux : le groupe électrogène s'est arrêté. Je pose la main sur la lampe de ma femme et éteint.

La végétation bruisse autour de nous. Avec les années, j'ai appris à reconnaître certains ours rien qu'à leur démarche, à l'amplitude et au tempo de leurs foulées. Là, maintenant, j'entends les pas lourds et lents de Bann. Je devine que ses griffes de quinze centimètres s'enfoncent si profondément dans la terre qu'elles en arrachent les fleurs avec leurs racines. Il est près, vraiment tout près.

Je serre la main de Gabrielle dans la mienne.

— Bann va venir et traverser la barrière.

— Non, réplique-t-elle calmement. Bann ne nous fera pas de mal.

— Il nous tuera sans hésiter. C'est un animal instinctif, violent, même s'il nous connaît depuis vingt-cinq ans.

— De toute façon, il n'a aucun moyen de savoir que la barrière ne fonctionne plus. Il s'est pris plusieurs fois des coups de jus par le passé, il connaît les lim…

Sa phrase est coupée net par un bruit de vaisselle brisée. Avec Gabrielle, on ne respire plus. On entend des bruissements de plastique et de Nylon, des fracas de verre, des entrechoquements de métaux. Et le halètement rugueux des ours. Avec courage, je me traîne jusque l'entrée, relève doucement la fermeture Éclair, les mâchoires serrées. Un grizzli a investi le camp 2. La barrière électrique a été défoncée, nos réserves de nourriture sont éparpillées dans l'herbe. La tente est au sol, lacérée de toutes parts. L'ours renifle, déchire les sachets de pâtes, de riz… D'autres animaux, attirés par le bruit, s'approchent. Je vois leurs gueules noires jaillir de l'obscurité. Ils sont tous affaiblis, plutôt maigres, mais encore capables de nous tuer d'un simple coup de patte. Gabrielle est venue à mes côtés. Elle tient sa caméra, qu'elle a passée en mode infrarouge, et filme.

— Regarde. Ils viennent tous du fin fond de la plaine, on en a jamais vu autant au même endroit, si proches les uns des autres, murmure-t-elle. D'ordinaire, ils se seraient entre-tués. On dirait qu'ils savent que c'est leur dernière chance. Que cette petite tente avec tous ces objets qu'ils ne connaissent pas, c'est leur ultime espoir. Je veux ramener ces images avec nous. On va montrer ça dans les écoles, les entreprises. On va expliquer aux gens comment la nature part en vrille.

Je n'ai pas le courage de lui répondre, elle est trop entêtée. J'arrache une poignée d'herbe et la jette dans les airs. Les brins volent en direction de la baie. Je retourne au fond de la tente et rassemble quelques affaires.

— On va vite sortir d'ici et aller à la cabane.
— On ?

— Il faut partir. Ils vont finir par entrer dans le camp et nous dévorer. Le vent est bon, il fait encore noir. Je vais te soutenir, on va y arriver.

Gabrielle secoue la tête, elle a les larmes au bord des yeux. Je m'accroupis devant elle.

— On ne peut plus rien pour eux. S'il te plaît, ne me laisse pas partir seul.

Gabrielle rétracte sa main sur son duvet.

— Je vais trop te ralentir. À deux, nous n'avons aucune chance. Vas-y seul, et reviens me chercher avec Warren.

J'hésite longuement et prends ma décision. J'enfile mon gros blouson, me chausse, fourre une lampe dans ma poche. Je plaque nos deux bombes de gaz poivré dans les mains de mon épouse.

— Et toi ? me fait-elle.

— Je vais m'en sortir. S'ils chargent, vise le nez, pas les yeux.

Je l'embrasse tendrement, me serre contre elle.

— On a tenu vingt-cinq ans, fait-elle, et on est encore là, tous les deux.

— Tous les deux...

— Tout va bien se passer.

Gabrielle a toujours eu envie de mourir avec ses ours, elle ne l'a jamais formulé, mais je le sais depuis bien longtemps. Je n'ai pas envie de la laisser mais je veux la sauver. L'arracher de leurs griffes. Le temps est compté.

Je sors, bascule derrière la tente et passe entre deux câbles horizontaux de notre clôture. Le vent est fort mais instable, il tourbillonne, me frappe de face, de profil. Je cours aussi vite que mes muscles fatigués me le permettent, me retourne pour voir s'ils ne me traquent pas. Je crois que j'ai réussi mon coup. Je gagne la baie, puis remonte vers la rivière, que je traverse. Ses eaux tumultueuses me glacent les genoux. Je me tourne une dernière fois vers la plaine, je vois le petit clignotant lumineux de la caméra à infrarouge qui filme.

Ce fichu vent se met à tourner, je l'ai maintenant de face. J'ignore s'il a la force de porter mon odeur jusqu'aux ours, mais j'accélère le rythme. Torche allumée, je fonce à travers les arbres, chevauche des enchevêtrements de branches mortes, des fougères. Mon cœur fatigué pompe, je pense à Gabrielle, seule sous la tente.

Il faut à tout prix qu'on vienne la récupérer, armés de fusils, avant le lever du soleil.

J'entends un bruissement de liquide, loin devant moi. J'ai bien progressé, c'est le petit torrent qui indique la moitié du chemin. Son eau est très peu profonde, on le traverse quasiment à gué avec Gabrielle quand on arrive et repart du territoire grizzli. Mais au fur et à mesure que je m'approche, j'entends un curieux bruit. Comme des mains qui applaudissent…

Ces étranges claquements me saisissent à la gorge, j'éclaire la surface de l'eau qui ressemble à une mer d'argent. Je n'en crois pas mes yeux : il y a là des milliers de saumons piégés par le manque de profondeur, bloqués par les rochers, incapables de faire demi-tour, tant ils sont nombreux. Seuls quelques-uns réussissent à se faufiler, mais tous les autres se débattent, meurent empilés les uns sur les autres, la gueule ouverte. Anéantis par leur propre nombre. Ils sont remontés dans un torrent trop étroit, pas assez profond, à quelques kilomètres seulement du territoire grizzli.

Les grizzlis qui crèvent de faim, d'un côté, et toute cette nourriture gâchée de l'autre.

Le manque qui tue autant que l'abondance.

J'ai envie de mourir avec ces pauvres animaux aux instincts déréglés, aux gènes cassés par la folie des hommes. Je pousse un cri désespéré, me jette à l'eau et balance des saumons sur la berge, par dizaine, pour tenter d'ouvrir le passage aux autres. J'en ai marre de ne plus intervenir, ils agonisent à cause de nous, la nature n'est pas responsable et ne s'en sort plus toute seule. Mais les trous que je crée se comblent instantanément d'autres poissons plus gros encore.

Désespéré, je poursuis ma route, m'accrochant au souvenir de ma femme. Je veux la sauver et on va partir ailleurs tous les deux. Je refuse de retourner dans la ville, lire leurs journaux, écouter leurs radios. Je veux finir mes jours loin de tout ça, au milieu de la nature. En paix.

J'atteins la cabane au moment où les premiers rayons du soleil percent les ténèbres. Les montagnes se dessinent sur l'horizon, elles sont mon rempart contre le monde, avec vingt ans de moins je les aurais gravies, encore, et encore. Aujourd'hui, je ne peux que les admirer mais ça me suffit.

Warren est assis dans son rocking-chair, en haut des marches, à proximité des cannes à pêche, des bourriches, des réserves de viande séchée. Il fume la pipe paisiblement. Il fronce les sourcils lorsqu'il me voit arriver, fatigué et sale. On a presque le même âge, tous les deux, sa barbe est deux fois plus longue que la mienne.

— Qu'est-ce qui se passe ?

— C'est Gabrielle. Elle est en danger.

Je rentre dans la cabane, prends un fusil et lui en tends un. Il ne bouge pas et soupire.

— Gabrielle est morte il y a cinq ans, Pierre.

Cette fameuse année où les saumons sont remontés au mauvais endroit. Tu es déjà revenu ici me demander de l'aide. On n'a pas pu la sauver. Bann l'avait mortellement frappée au visage.

— Qu'est-ce que tu racontes ? Gabrielle nous attend ! Allez, viens !

Il secoue la tête.

— J'irai sans toi, dans ce cas.

— Attends...

Warren se lève de son rocking-chair, entre dans la cabane et revient avec un petit caméscope. Il soupire gravement.

— La dernière cassette est dedans. Celle où Gabrielle a filmé jusqu'au bout... Tu as déjà vu ce film, maintes et maintes fois. Et à chaque fois, tu oublies. Tu repars en ville, tu reviens chaque année, tu t'installes dans la plaine... Puis arrive le moment où tu reviens ici demander les fusils... ça me fait mal au cœur de te laisser regarder cette vidéo. Mais... Fais-le.

Mes mains tremblantes appuient sur le bouton « Lecture ».

Warren, qui s'est éloigné vers la forêt, m'a entendu hurler.

★
★ ★

Je suis revenu dans la plaine, l'année d'après.

L'herbe est belle, toute verte, et les fleurs poussent en nombre. Je cherche les saumons dans la baie, j'ai envie de les voir fendre le torrent, leurs ventres remplis d'œufs et leurs écailles jouant avec le soleil.

Les grizzlis déjà sont là, puissants, pour les chasser.

Les camps sont installés au milieu du tapis de verdure, entourés de leurs barrières électriques. La toile du camp 1 vibre soudain, j'entends la fermeture Éclair qui remonte.

Un sourire illumine mon visage.

Gabrielle me fait un petit signe de la main pour m'annoncer que le repas est prêt.

Bernard WERBER

Langouste blues

Personnellement, je préférerais qu'on ne me mange pas.

J'ai plusieurs arguments pour défendre ce point de vue.

Déjà je trouve un peu scandaleux qu'on me considère comme un mets de luxe alors que je ne suis pas du tout un plat, point. Ensuite si vous voulez mon avis il y a beaucoup d'autres aliments qui sont meilleurs que moi.

Je crois qu'une bonne assiette de coquillettes aux œufs avec un peu de sauce tomate basilic, une noix de beurre des Charentes et du fromage parmesan en copeaux n'a pas son égal.

En plus on peut avantageusement dévorer les pâtes en quantité accompagnées d'une simple bière à belle robe dorée ou d'un petit beaujolais village de derrière les fagots. Un véritable délice pour les papilles.

Tandis que moi et mes congénères, malgré notre si « envieuse » réputation… nous abîmons les mains de ceux qui s'évertuent à nous attraper, avec nos épines de carapace et de nos antennes, nous sommes souvent pas très fraîches et je ne vous parle même pas de ceux d'entre nous servis congelés (l'hérésie culinaire la plus scandaleuse).

J'ai entendu (et je pense que c'est vrai) que beaucoup de gens qui nous mangeaient avaient par la suite soit des intoxications alimentaires (parfois mortelles) soit des allergies qui leur interdisaient définitivement la consommation de fruits de mer et de crustacés.

C'est dommage.

Enfin, j'espère que vous avez assez de jugeote et de bon goût pour ne pas être intéressés par notre chair – qui au demeurant est bien surévaluée et ne mérite pas autant d'intérêt que les publicités abusives et une réputation fondée sur des « on-dit » veulent le faire croire. Nous manger, finalement c'est plus du snobisme que de la culture gastronomique réelle. Je vous l'affirme nous sommes un plat... nul.

Nous n'avons même pas vraiment de saveur affirmée : la preuve il faut nous ajouter de la mayonnaise ou de la sauce thermidor à l'huile et aux échalotes, ail, fines herbes, or chacun sait qu'un plat qui nécessite une sauce pour exister a forcément un déficit de goût.

Avouons-le tout net, nous sommes fades.

Donc même si on vous propose de nous manger apprenez à dire cette simple phrase qui mettra les choses au clair : « Non merci, ça ne m'intéresse pas, donnez-moi plutôt un vrai plat goûtu sans risque d'intoxication : un bon steak saignant par exemple. »

Vous ne le regretterez pas.

Quant à ma vie personnelle je pense que si vous la connaissiez mieux vous seriez encore moins tentés de me consommer.

Tout d'abord je suis née à Cuba et comme vous le savez probablement, là-bas nous nous nourrissons en squattant les sorties d'évacuations d'ordures en haute mer. Bref, pour nous un repas ce sont vos déchets de toilettes, plus vos déchets de poubelles, plus quelques trucs en plastique, plus des cadavres de bestioles ou de gens (la mafia cubaine coule ses clients dans notre zone de réception). Ce n'est pas pour rien que nous sommes classés dans la catégorie des animaux nécrophages ou coprophages. Si vous ne connaissez pas le sens exact de ces deux mots allez voir dans le dictionnaire.

Donc Cuba. Là-bas vers le printemps nous, les mâles, nous avons irrésistiblement envie de nous taper des petites femelles tendres (avouez qu'on n'est pas les seuls, chez vous aussi cela arrive). Donc quand les hormones parlent, moi et mes potes, on fait une descente (1 500 mètres de profondeur), dans les fonds marins et nous marchons pour retrouver ces demoiselles délurées qui doivent nous attendre impatiemment, rouge écarlate de désir.

On le sait tous, elles sont au rendez-vous dans les eaux froides du Grand Nord, parce que pour nous, l'eau glacée c'est idéal pour les reproductions.

Donc on y va. Il faut marcher, enfin nager. Des jours et des jours de balade sous-marine. Avec un type devant et un type derrière en longue procession serrée, antennes frôlant l'arrière de notre prédécesseur. C'est le pèlerinage de printemps.

Or, alors que je marchais en imaginant déjà comment j'allais ensemencer comme une bête les ovules de la première femelle venue, voilà-t-il pas qu'arrive devant moi une sorte de filet métallique qui m'attrape avec mes copains et nous soulève hors de l'eau.

À peine je suis exposé à l'air qu'on me jette dans un grand bac rempli d'autres individus, nous sommes tous entassés, pêle-mêle, pattes mélangées aux antennes, avec peu d'eau pour se mouvoir. Nous voyageons serrés en pleine obscurité et complètement coincés les uns sur les autres.

À ce moment-là, je dois avouer que j'ai eu un mauvais pressentiment. Je me suis dit : « Mon vieux Bob (je m'appelle moi-même Bob), je crois que tu es dans la merde jusqu'au cou. »

Et cette idée était d'autant plus fondée que quelques jours plus tard, après un enfermement aussi pénible pour le corps que démoralisant pour l'esprit, je me retrouve dans une cuisine à voir certains d'entre nous attrapés et jetés vivants dans des marmites d'eau bouillante.

Moi qui me suis toujours imaginé vieillir et blanchir tranquillement entouré d'amis, ces meurtres aussi spectaculaires que cruels m'ont aussitôt démoralisé.

Chaque fois que l'épuisette approchait, je tremblais.

« Pourvu que ce ne soit pas toi, Bob. »

Le pire fut peut-être un jeune cuisinier stagiaire qui, voulant épargner un des nôtres, au lieu de le jeter d'un coup dans la marmite d'eau bouillante, préféra le mettre dans une casserole d'eau froide qu'il fit doucement chauffer. Parfois la compassion peut être pire que la cruauté. Le pauvre se mit à gratter contre la casserole pendant une heure et même nous dans l'aquarium de cuisine ne supportions plus d'entendre ses raclements.

« Achevez-le, il souffre ! » pensais-je. Mais bien sûr les humains ne m'entendaient pas.

Et puis qui se soucie de l'opinion du vieux Bob.

Un jour je fus déplacé pour être installé dans la salle à manger du restaurant.

Là avec les plus beaux de mes congénères nous sommes retrouvés à jouir des regards admiratifs de la population humaine passant aux alentours.

J'ai ressenti à cet instant précis, je dois l'avouer, une pointe d'orgueil.

« C'est toi Bob qu'ils viennent voir. »

Avec les plus beaux de la bande nous étions fiers. Tous ces grands humains nous observaient avec envie.

« Huit pattes, deux mini-pinces, deux longues antennes, admirez cette carapace de course rutilante, c'est moi, c'est Bob. »

Et puis à nouveau l'épuisette a franchi la surface des flots et a saisi mon copain Gilles. Là, j'ai compris que ce lieu décoratif n'était pas un sanctuaire. Bien au contraire. Alors qu'en cuisine on nous prenait au hasard du poids, ici nous étions choisis pour notre esthétique. Et plus on était beau, plus on avait de chance d'être pris.

Mieux valait être discret donc, et faire profil bas.

« Mais regardez attentivement, je suis rayé de partout, il me manque une patte, et le bout de mon antenne est tordu. »

Va leur expliquer, ils s'en fichent royalement ils regardent juste la couleur de ma robe, ces ignares.

Dès lors je tentais de me cacher derrière les cailloux de décorations et les différents tuyaux qui faisaient des bulles.

J'observais avec mes yeux verticaux et protubérants mes collègues Richard, Stéphane, Michel se faire attraper par l'épuisette puis être présentés, ouverts en deux, la chair blanchie par la cuisson, et le plus souvent accompagnée d'une rondelle de citron et d'une branche de persil à côté de l'ignoble mayonnaise (qui donne du cholestérol je vous le rappelle).

Les clients du restaurant mangeaient mes amis avec ravissement échangeant des bons mots sur la qualité de leur chair. Je ne les entendais pas mais je voyais leurs mimiques à travers la vitre de l'aquarium.

Ils cassaient avec des marteaux nos pinces pour aspirer voracement et violemment l'intérieur. Les plus vicieux suçaient même les pattes qu'ils creusaient avec des tiges de métal pointues et tordues !

J'en ai vu défiler des copains sur les tables alentour, accompagnés de garniture insignifiante et de sauces diverses.

Paul, sauce armoricaine. Gérard, sauce ravigote. Frédéric...

Ce dernier a même tenté une évasion en escaladant l'épuisette. Il n'est pas allé très loin, le pauvre. Sans eau, en plein air, nous les langoustes, on a peu de chance de s'en sortir, malgré nos huit pattes.

Donc Frédéric sauce blanche.

Je me suis dit « Laisse tomber Bob, l'évasion ce n'est pas la solution ».

Les jours passaient et je priais le dieu des langoustes (Le Grand Ogoul San) de trouver un moyen de me sortir de cette situation périlleuse.

« Sauvez Bob, il le mérite. Je promets d'avoir un comportement vertueux. »

Je me doutais que je ne pourrais pas toujours échapper à l'épuisette et que même en me cachant je n'étais pas à l'abri.

Un jour, ils ont ajouté un groupe de cinq homards. Ils se battaient tout le temps pour essayer de se tuer avant d'être tué. Ils voulaient même nous tuer par pure compassion, pour nous épargner la suite. Sympa. J'ai demandé à un voisin de m'achever pour m'éviter l'agonie de l'eau bouillante, mais, au dernier moment, il a été empêché d'agir et on lui a mis des élastiques blancs aux deux pinces. Ah ça un homard avec un élastique sur les pinces, c'est vraiment une image de déchéance totale.

Ils sont ridicules.

Ah… les homards. De gros frimeurs mais eux aussi ont fini dans les assiettes, et là tout le monde a pu voir que malgré leur réputation il y a moins de chair à l'intérieur.

Quant à l'idée de nous sacrifier, cela n'a vraiment pas marché.

Ah ça pas de doute : les homards ne m'ont pas tué. Et ils ont été mangés.

Après l'étonnement, la colère, la révolte, est venue la résignation. Le temps défilait et j'attendais mon tour en me disant que de toute façon je ne pouvais rien faire pour empêcher le pire.

Et puis est arrivé quelque chose d'inattendu.

Peut-être que le dieu des langoustes Ogoul San a agi.

Tout d'abord, il y a eu une énorme secousse. J'ai pensé que c'était un tremblement de terre, mais non la secousse était prolongée d'une sorte de craquement et tous les humains sont tombés au sol et se sont mis à pousser des cris.

La suite a été de plus en plus réjouissante. De l'eau jaillissait par les fenêtres du restaurant en gerbes drues, de l'eau bien froide et bien glacée comme j'aime.

Ce fut une vraie fête, l'eau se mit à monter dans le restaurant alors que les humains étaient dans la panique la plus totale. Les meubles flottaient. Certains clients se débattaient et essayaient désespérément de nager dans la salle à manger, j'en voyais mourir saisis par l'eau froide.

Pour des gens qui avaient ordonné que nous soyons jetés dans l'eau chaude pour leur simple contentement vous comprendrez que ce fut d'autant plus jouissif.

Ah vous vouliez vous régaler de nos chairs bouillies par pur snobisme alimentaire eh bien sachez que le vieux Bob s'est régalé du spectacle de votre agonie glacée par pur plaisir langoustinien de base.

La suite a été parfaite.

L'eau montait dans le restaurant et un instant je me suis demandé si ce n'était pas le déluge, comme on le racontait dans nos légendes passées. L'humain submergé par notre dieu Ogoul San pour le punir de ses vilenies à notre égard. Lorsque le niveau de l'eau a rejoint l'aquarium j'ai eu un nouveau frisson de joie et puis l'aquarium s'est mis à flotter avant d'être à son tour submergé et là j'ai pu enfin m'évader de ma prison avec les quelques survivants qui, tout comme moi, ont pu échapper au triste sort qui nous était réservé.

J'ai vu le cuistot gonflé d'eau.

J'ai vu les clients les yeux exorbités qui tournoyaient dans les courants comme s'ils participaient à un ballet aquatique.

J'ai croisé l'épuisette désormais inutilisée.

J'ai agité mes pattes et utilisé des contractions d'abdomen pour aller plus vite.

J'ai nagé dans le restaurant, planant au-dessous

du plafond puis filant par une fenêtre hublot qui venait d'exploser.

Une fois à l'extérieur, j'ai découvert quelque chose d'intéressant, le restaurant où je me trouvais était inclus dans un paquebot, et ce paquebot immense venait de percuter un iceberg.

Question de point de vue, cette catastrophe était pour moi un miracle inespéré. Alors que partout des humains agonisaient d'affreuses souffrances, moi et ma dizaine de potes langoustes survivantes, nous voyions soudain l'avenir devenir radieux.

En quittant le paquebot qui doucement s'enfonçait sous la surface de l'océan je frôlai une immense plaque sur laquelle était écrit le nom du bateau, mais comme je ne savais pas lire les caractères humains je ne vis qu'une image avec des symboles qui se succédaient.

Puis je descendais sous l'iceberg qui avait percuté le paquebot et là j'ai retrouvé Le Chemin : celui qui menait à la zone de rencontre avec les femelles de mon espèce.

Ensuite ce fut l'orgie dans les eaux glacées du Grand Nord.

J'ai notamment rencontré une femelle langouste à dos large un peu orange (les meilleures), et on s'est donné du bon temps.

Voilà ce que j'appelle un *happy end*.

Question de point de vue.

Je ne pense pas qu'il ait pu arriver quelque chose de mieux en ce bas monde.

Après tout est allé de mieux en mieux.

Vous ne le savez peut-être pas mais nous, les langoustes, on peut vivre trente ans.

J'ai eu l'occasion de refaire plusieurs fois le pèlerinage Cuba, mer du Nord, iceberg.

Chaque fois je fais un détour pour repasser exactement là où s'est passé le miracle.

Une sorte de pèlerinage.

Ce n'est pas sans une certaine nostalgie que je furète parmi les squelettes de ces humains qui voulaient nous manger. Ils ont l'air d'avoir de larges sourires.

Le sourire de ceux qui ont fini par comprendre par la douleur.

Nous consommer cela porte malheur.

Donc, soyez raisonnables, si vous ne voulez pas terminer dans l'eau glacée à souffrir atrocement, agoniser pendant des heures, si vous ne voulez pas voir vos dépouilles dévorées par des crevettes, des langoustes et des crabes... ne nous mangez pas.

C'était un conseil de Bob.

REMERCIEMENTS

Chers lecteurs,

Nous tenons à remercier les équipes d'Univers Poche et tous nos partenaires solidaires de la chaîne du livre et de sa promotion, ayant permis à cette belle opération de voir le jour :

Pour l'aide juridique :
SOGEDIF

Pour les textes :
Les 13 auteurs de ce recueil

Pour la fabrication :
SOGEDIF

Pour le papier :
STORA ENSO France

Pour la photocomposition :
APEX GRAPHIC
NORD COMPO

Pour l'impression :
MAURY IMPRIMEUR
CPI Brodard et Taupin

Pour la distribution et la diffusion :
Interforum

Pour la photo des auteurs :
Studio Mac Mahon

Pour la promotion :
TV : Web-TV-Culture
Radio : Europe 1 / Nova
Presse : *L'Express* / *Le Nouvel Observateur* /
Le Point / *Télérama* / *ELLE* / *Livres Hebdo* / *LIRE* /
Le Parisien Magazine / *Libération* /
Grazia

Pour l'affichage :
Mediastransports
Metrobus
Insert

Ainsi que :
Agence DDB
Agence Oculture
Piaude Design graphique

Et tous les libraires de France !

L'équipe éditoriale des éditions Pocket

Vous découvrirez ici la liste de l'intégralité
de nos partenaires solidaires.

Composition et mise en pages
Nord Compo à Villeneuve-d'Ascq

POCKET – 12, avenue d'Italie – 75627 Paris cedex 13

Imprimé en France par

MAURY IMPRIMEUR
à Malesherbes (Loiret)
en octobre 2014

N° d'impression : 192968
Dépôt légal : novembre 2014
S25405/01